TRANSFEMINISMO

FEMINISMOS
PLURAIS
COORDENAÇÃO
DJAMILA RIBEIRO

LETÍCIA
NASCIMENTO

TRANSFEMINISMO

FEMINISMOS
PLURAIS
COORDENAÇÃO
DJAMILA **RIBEIRO**

LETÍCIA
NASCIMENTO

 jandaíra

SÃO PAULO | 2021
1ª REIMPRESSÃO

Copyright © Letícia Nascimento, 2021

Todos os direitos reservados à Editora Jandaíra, uma marca da Pólen Produção Editorial Ltda., e protegidos pela lei 9.610, de 19.2.1998.
É proibida a reprodução total ou parcial sem a expressa anuência da editora.

Este livro foi revisado segundo o Novo Acordo Ortográfico da Língua Portuguesa.

Direção editorial
Lizandra Magon de Almeida

Coordenação editorial
e edição de texto
Camilla Savoia

Produção editorial
Renato Ritto

Projeto gráfico e diagramação
Daniel Mantovani

Preparação de originais
Carolina M. Leocadio

Revisão
Caíque Pereira

Foto de capa
Acervo pessoal

Dados Internacionais de Catalogação na Publicação (CIP)
Maria Helena Ferreira Xavier da Silva/ Bibliotecária – CRB-7/5688

Nascimento, Letícia Carolina Pereira do
N244t   Transfeminismo / Letícia Carolina Pereira do Nascimento. – São Paulo: Jandaíra, 2021.
192 p. (Feminismos Plurais / coordenação de Djamila Ribeiro)
ISBN: 978-65-87113-36-4
1. Transexualidade. 2. Psicologia. 3. Feminismo.
4. Gêneros - Grupos Sociais. I. Título.   CDD 306.768

Número de Controle: 00014

www.editorajandaira.com.br
atendimento@editorajandaira.com.br
(11) 3062-7909

Às pioneiras dos movimentos travestis no Brasil: Jovanna Baby, Beatriz Senegal, Elza Lobão, Monique Du Bavieur e Claudia Pierry France, grata pela resistência. Xica Manicongo vive!

Eu travesti,
assumi que sou divina.
E criei a mim mesma.
Somos criadoras,
crias de dores.
A vida se faz
frente à morte voraz.

Letícia Carolina

AGRADECIMENTOS

À Maria de Lourdes, minha avó-mãe, minha eterna lição de amor.

Ao meu pai Xangô e minha mãe Oyá, fagulhas vivas do Orum em mim.

Aos meus erês Bryan Pereira, Lucas José e Luiza Maria, eternas alegrias em mim.

À Djamila Ribeiro e ao Brenno Tardelli, pelo carinho e pela oportunidade.

À Valdenia Sampaio, ao Rafael de Meneses e ao Lucivando Martins, pelo afeto que nos une de modo edificante.

À Jessyka Rodrigues, minha irmã que me inspira a ser uma travesti sem trava.

Ao Vladimir Félix, à Roberta Damasceno, à Caia Coelho, à Sara York, à Jaqueline Gomes de Jesus, à Céu Cavalcanti e à Megg Rayara de Oliveira, pelas generosas interlocuções.

À Shara Jane Adad e ao núcleo NEPEGECI/UFPI, pelo compartilhamento na construção de uma universidade mais plural.

SUMÁRIO

APRESENTAÇÃO 11
INTRODUÇÃO: E NÃO POSSO SER EU UMA MULHER? 16
DO CONCEITO DE GÊNERO À PLURALIZAÇÃO
DAS SUJEITAS DO FEMINISMO. 23
MULHERES TRANSEXUAIS E TRAVESTIS:
THE OUTSIDERS NON SISTERS. 45
TRANSFEMINISMO: TENSIONANDO FEMINISMOS E ALÉM . . . 67
CISGENERIDADE, DESPATOLOGIZAÇÃO E
AUTODETERMINAÇÃO: NÓS POR NÓS MESMAS! 92
CORPORALIDADES TRANSGÊNERAS: AUTODETERMINAÇÃO
COMO INSURGÊNCIA AO CISTEMA 123
VIDAS TRANS* IMPORTAM: TRANSFEMINICÍDIO
TAMBÉM É UMA PAUTA FEMINISTA 157
REFERÊNCIAS BIBLIOGRÁFICAS 181

APRESENTAÇÃO

FEMINISMOS
PLURAIS

O objetivo da coleção Feminismos Plurais é trazer para o grande público questões importantes referentes aos mais diversos feminismos de forma didática e acessível. Por essa razão, propus a organização – uma vez que sou mestre em Filosofia e feminista – de uma série de livros imprescindíveis quando pensamos em produções intelectuais de grupos historicamente marginalizados: esses grupos como sujeitos políticos.

Escolhemos começar com o feminismo negro para explicitar os principais conceitos e definitivamente romper com a ideia de que não se está discutindo projetos. Ainda é muito comum se dizer que o feminismo negro traz cisões ou separações, quando é justamente o contrário. Ao nomear as opressões de raça, classe e gênero, entende-se a necessidade de não hierarquizar opressões, de não criar, como diz Angela Davis, em "As mulheres negras na construção de uma nova utopia", "primazia de uma opressão em relação a outras". Pensar em feminismo negro é justamente romper com a cisão criada numa sociedade desigual. Logo, é pensar projetos, novos marcos civilizatórios, para que pensemos um novo modelo de sociedade. Fora isso, é também divulgar a produção intelectual de mulheres negras, colocando-as na condição de sujeitos e seres ativos que, historicamente, vêm fazendo resistência e reexistências.

Entendendo a linguagem como mecanismo de manutenção de poder, um dos objetivos da coleção é o compromisso com uma linguagem didática, atenta a um léxico que dê conta de pensar nossas produções e articulações políticas, de modo que seja acessível, como nos ensinam muitas feministas negras. Isso de forma alguma é ser palatável, pois as produções de feministas negras unem uma preocupação que vincula a sofisticação intelectual com a prática política.

Letícia Nascimento, neste livro, abre o debate para o transfeminismo como uma necessidade não só histórica e urgente, mas também pessoal. A autora se aprofunda na ideia de que as feminilidades e as mulheridades, assim como o feminismo, não são homogêneas, atravessando mulheres transexuais e travestis em suas próprias vivências e performances de resistência ao CIStema de gênero.

Com vendas a um preço acessível, nosso objetivo é contribuir para a disseminação dessas produções. Para além desse título, abordamos também temas como encarceramento, racismo estrutural, branquitude, lesbiandades, mulheres indígenas e caribenhas, transexualidade, afetividade, interseccionalidade, empoderamento, masculinidades. É importante pontuar que esta coleção é organizada e escrita por mulheres negras e indígenas, e homens negros de regiões diversas do país, mostrando a importância de pautarmos como sujeitos as questões que são essenciais para o rompimento da narrativa dominante e não sermos tão somente capítulos em compêndios que ainda pensam a questão racial como recorte.

Grada Kilomba em *Plantations Memories: Episodes of Everyday Racism*, diz:

> Esse livro pode ser concebido como um modo de "tornar-se um sujeito" porque nesses escritos eu procuro trazer à tona a realidade do racismo diário contado por mulheres negras baseado em suas subjetividades e próprias percepções. (KILOMBA, 2012, p. 12)

Sem termos a audácia de nos compararmos com o empreendimento de Kilomba, é o que também pretendemos com esta coleção. Aqui estamos falando "em nosso nome".*

DJAMILA RIBEIRO

---

*No original: "(...) in our name." HALL, Stuart. "Cultural Identity and. Diaspora". *In:* RUTHERFORD, Jonathan (ed). **Identity, community, culture difference.** Londres: Lawrence and Whishart limited, 1990, p. 222.

INTRODUÇÃO

E NÃO POSSO SER EU UMA MULHER?

O discurso histórico proferido em 1851, em Ohio, nos Estados Unidos, por Sojourner Truth, traz a seguinte pergunta: "E eu não sou uma mulher?" A pergunta desestabiliza a concepção homogênea universal de mulher, e a tomo como ponto de partida para desenvolver uma das discussões sobre transfeminismo.

Sojourner, mulher negra, traz à tona o fato de que mulheres negras vivem suas feminilidades de forma diferente das mulheres brancas. E essa diversidade de experiências femininas tomará ênfase com os redimensionamentos em torno da categoria gênero. A interrogação de se nós, mulheres transexuais e travestis, somos ou não mulheres, é um martelar constante, dúvida produzida pelo não enquadramento de nossas experiências dentro do CIStema colonial moderno de gênero.

Por um lado, como mulheres transexuais e travestis, podemos ter tido a infância roubada — ao menos muitas de nós, já que nossas realidades são diversas. A vigilância binária dos gêneros produz violências constantes, tratando de impedir que crianças trans* femininas tenham uma infância livre, dado o sentimento de não pertencimento ao domínio socialmente estabelecido como masculino — ou feminino, no caso das infâncias trans* masculinas. Por outro viés, as tecnologias de gênero, um conjunto de dispositivos linguísticos, jurídicos, educativos, dentre outros, que produzem o gênero (LAURETIS, 2019), e que nos cercam na contemporaneidade, fazem circular discursos que, ao mesmo tempo em que dificultam mulheres transexuais e travestis de se reconhecerem como mulheres, possibilitam a performance de formas transgressoras de experienciar as feminilidades (LOURO, 2004).

É importante demarcar que o termo "trans*", com asterisco, sinaliza a ideia de abarcar uma série de identidades não cisgêneras.** De modo particular, as seguintes identidades estão contempladas no termo "trans*": transexuais, mulheres transgêneras,

---

**Nota da editora: apesar de dicionários – como o Houaiss – considerarem "cisgênero" e "transgênero" como adjetivos de dois gêneros e dois números e substantivos de dois gêneros, a nossa escolha, nesta obra e na vida, é flexionar tanto em gênero quanto em número, pois seguimos como as falas são vivenciadas nos movimentos trans*.

homens transgêneros, transmasculines e pessoas não binárias. Já o termo "mulheres trans" refere-se a mulheres transexuais e mulheres transgêneras. E é importante dizer que apesar do termo "travesti" estar contemplado no termo "trans*", no intuito de reforçar essa identidade de gênero bastante marginalizada socialmente, opto por geralmente fazer referência à travesti fora do termo guarda-chuva, assumindo, portanto, uma postura política de afirmação das identidades travestis.

Particularmente, como travesti, tive, desde a infância, uma experiência cruel com o machismo e o sexismo, que cerceavam o meu poder de autodefinição, já que não me reconhecia no papel de gênero masculino que me era imposto. Apesar das dores, sempre tive respiros, prazeres clandestinos de uma infância transviada: brincar de boneca, desfilar com vestidos de lençol amarrados, brincar de roda, fazer comidinha com folhas. No encontro com as normas de regulação de meu gênero, a infância foi um laboratório inventivo de outras corporalidades generificadas, isto é, outros modos de produzir corporalidades e gêneros. Compreendendo que não somos naturalmente generificados, mas que há um processo de produção de nós, de nossos gêneros, de nossos corpos.

Durante toda a infância e a adolescência, período de descobertas, a ideia de "E eu não sou uma mulher?"

sempre esteve presente, ainda que de outros modos, com outras palavras. A pergunta era como um sonho que se repetia todas as noites, um sonho muito desejado, embora às vezes fosse um pesadelo, repleto de medos, ameaças e escárnios. Eu vivia um lugar que, para muitos, é um não lugar — mas era um mundo só meu. Não estava em nenhuma margem do rio. Eu pensava que só poderia existir uma margem para o gênero masculino e outra para o gênero feminino. Rompendo com essa realidade, eu escolhi ser o próprio rio que corria veloz para além do vale, para um lugar onde se fazer era possível no confronto com algumas regras impostas.

Quando resgato a provocação de Sojourner, "E eu não sou uma mulher?", quero reelaborá-la inserindo o verbo "poder" — "E não posso ser eu uma mulher?" — exatamente para enfatizar a existência de discursos que circulam socialmente, inclusive dentro do próprio feminismo, que pretendem determinar quem pode e quem não pode ser uma mulher. Discursos que insistem em considerar a "mulher" numa condição universal como única sujeita do feminismo. Discursos que, em um direcionamento cissexista, também impedem mulheres transexuais e travestis no feminismo.

Assim, inspirada por autoras como Djamila Ribeiro, Lélia Gonzalez, Grada Kilomba, Jaqueline Gomes de Jesus, Gayatri Spivak, entre outras, entendo que o feminismo e a sociedade, em geral, precisam aprender a ouvir as experiências das mulheridades e feminilidades levando em conta sua pluralidade. Falo a partir de minha experiência como mulher travesti, negra, gorda, subalternizada pelo racismo, pelo cissexismo e pela gordofobia. Escrevo a partir da minha própria carne, fabricada em meio a gritos diversos de dores, alegrias, esperanças, saudades, sonhos e esquecimentos. Escrevo me reconhecendo como transfeminista, reivindicando espaço no feminismo, fazendo clivagens teóricas e políticas no arcabouço feminista para pensar nossos corpos em aliança.

Sobre a presença de mulheres transexuais e travestis no feminismo, é importante ressaltar que nós não somos super-heroínas que pretendem salvar o feminismo de possíveis equívocos históricos ou teóricos, que não é nossa intenção fragmentar o feminismo, muito menos a nossa produção pretende desconsiderar a produção existente sobre feminismo. O transfeminismo, entretanto, oferece um olhar diferente sobre o feminismo considerado padrão, assim como o feminismo negro, o feminismo lésbico, entre outras perspectivas, também oferecem. Nossas experiências como mulheres transexuais e travestis são contribuições para o modo como entendemos o feminismo no campo das lutas políticas e das proposições teóricas.

É urgente que todas compreendamos que falar de mulheres no plural, de feminilidades, não é um mero slogan. Nossas experiências diversas exigem diferentes teorizações e demandas políticas dentro do feminismo. Manter essa pluralidade de vivências no caleidoscópio feminista significa entender que, apesar de diferentes, conectamo-nos com estruturas de opressão semelhantes, tais como o patriarcado, o machismo e o sexismo, que, no decorrer da história, vêm subjugando socialmente as experiências femininas. Neste livro, apresento o transfeminismo como parte do feminismo, como uma possibilidade de repensar as relações entre sexo-gênero-desejo e pluralizar as sujeitas do feminismo, de modo a superar universalidades e essencialismos limitantes à liberdade de performance de gêneros.

DO CONCEITO DE GÊNERO À PLURALIZAÇÃO DAS SUJEITAS DO FEMINISMO

Os feminismos têm congregado, em diferentes tempos e espaços, experiências de resistência às desigualdades de gênero. Nas análises feministas, a categoria gênero ocupa certa centralidade, constituindo-se como ferramenta política e conceitual na construção de experiências coletivas contra as opressões sexistas. Desse modo, a escolha da categoria gênero como ponto de partida para pensar uma epistemologia transfeminista é uma maneira de vincular o trabalho crítico desenvolvido pelo transfeminismo a outros feminismos. Além do mais, entendo gênero como um conceito em disputa que pode garantir a entrada de mulheres transexuais e travestis no feminismo.

Afirmo que, dentro dos feminismos, a categoria gênero sofre uma verdadeira disputa porque, para se constituir sujeita do feminismo, é necessário vivenciar experiências de mulheridades e feminilidades — dito de outro modo, pertencer ao gênero feminino. Mas como definir quem pode ou não ser sujeita do feminismo? Quais são as regras desses jogos de definição e pertencimento? É possível definir as sujeitas do feminismo sem recorrer a uma matriz biológica? Esses tensionamentos promovem deslocamentos conceituais e políticos em torno da categoria gênero, e a existência das mulheres transexuais e travestis no feminismo perpassa por essas reflexões.

Em boa parte dos feminismos, gênero é um conceito marcado pelas dimensões culturais e históricas, evidenciando os diversos modos de viver as mulheridades e feminilidades. Utilizo o termo "mulheridades", e não "mulher", no singular, para demarcar os diferentes modos pelos quais podemos produzir estas experiências sociais, pessoais e coletivas. Além disso, a ideia também é conferir movimentos de produção, visto que o termo "mulher" pode sinalizar algo que se é de modo essencial. Nesse sentido, o termo "mulheridades" aponta para os processos de produção social dessa categoria. Por sua vez, o termo "feminilidades" é uma categoria usada de forma a entender os modos pelos quais sujeitas dentro do feminismo dialogam com o que o imaginário social determina como "feminino", e que, a partir desse roteiro cultural, produz cocriações e subversões. Além disso, é importante demarcar que algumas identidades de gênero se reivindicam dentro de uma vivência das feminilidades, mas não se sentem comtempladas na categoria mulheridades, como algumas travestis e pessoas não binárias femininas.

A compreensão plural das mulheridades e feminilidades decorrentes dos desdobramentos da categoria gênero deveria ser suficiente para delinear, nos feminismos, as experiências de mulheres transexuais e travestis. Todavia, ainda circulam discursos bioessencialistas que buscam condicionar o gênero aos aspectos anatômicos de diferenciação sexual. Por isso, ao engendrar esforços em fomentar a discussão sobre gênero por meio de alguns desdobramentos históricos, políticos e epistemológicos, procuro evidenciar a necessidade constante de desnaturalização dessa categoria para que possamos abarcar cada vez mais experiências de mulheridades e feminilidades, como as vivenciadas pelas mulheres transexuais e travestis.

Revisitando as origens do conceito de gênero, é possível perceber que, em sua gênese, embora traga as marcas de cada cultura, restringiu-se, por um tempo, à experiência da mulher cis, heterossexual, branca, de classe média, magra, sem deficiências — que ocupa uma posição superior e de privilégio social, sendo o ideal performativo a ser alcançado por todas as mulheres. Chamaremos, de modo sintético e metafórico, a mulher com as características citadas de "mulher original do feminismo". Ela configura-se historicamente como sujeita central nas análises feministas, numa perspectiva universalizante.

Ao cunharmos o termo metafórico da "mulher original do feminismo", baseamo-nos na ideia sociológica de mito de origem e, assim, ressaltamos que as reivindicações da mulher cis, heterossexual, branca, de classe média, magra, sem deficiências no século 19 são, de certo modo, o "mito fundador" do feminismo. Ao "iniciar" a luta organizada que compreendemos como primeira onda do feminismo, a "mulher original" assume o posto de sujeita do feminismo (LOURO, 2007). Logo, as demandas dessa mulher passam a ser universalizadas e entendidas como demandas de todas as mulheres.

Diante dessa centralidade histórica, questionamo-nos: ainda faz sentido afirmar uma identidade no singular como sujeita do feminismo? O grande problema dos "mitos de origem" é que eles apresentam uma perspectiva única da história, transformam experiências singulares em universais. Quando analisamos historicamente os variados discursos que deram origem ao feminismo, percebemos que existiram outras reivindicações, como a participação de mulheres negras, as pautas de feministas anarquistas, entre outras. No entanto, a compreensão em geral reducionista da história única limita as primeiras lutas do feminismo do século 19 e do início do século 20 a demandas trazidas pelas feministas cis, brancas, heterossexuais, de classe média, como o sufrágio universal e o direito ao trabalho, por exemplo.

É o conceito de gênero que vai operar no campo teórico a concepção de que nossas feminilidades são construídas em um processo histórico e cultural. Como propõe a transfeminista brasileira Caia Coelho (2017), essa compreensão social de gênero destaca, pela primeira vez, que a opressão vivida por mulheres não é natural, ou seja, determinada pelo sexo anatômico, mas é, sobretudo, socialmente estabelecida. As feministas negras, as feministas lésbicas, as feministas socialistas passaram paulatinamente a dedicar esforços teóricos e políticos para a pluralização das sujeitas do feminismo à medida que se constatava, na perspectiva de gênero, que as mulheres possuíam vivências culturais e históricas diferentes umas das outras.

É importante enfatizar que o conceito de gênero cunhado em meados do século 20 já passou por diversos desdobramentos, e ele é fundamental para a existência política e organizada, como também para a teórica e acadêmica, dos movimentos feministas e LGBTQIA+ (LOURO, 2007). Esse conceito fez emergir várias transformações culturais e sociais e permanece como uma poderosa ferramenta teórica e política nos dias de hoje (SCOTT, 1995), visto que a sociedade ainda necessita de mudanças estruturais e institucionais (FRASER, 2019).

A feminista lésbica francesa Monique Wittig (2019) enfatiza que, apesar do conceito de gênero, o feminismo do último século não conseguiu superar contradições como a relação entre natureza e cultura. E, para entender a gênese dessa relação nos contornos da militância feminista, é preciso voltar às raízes da segunda onda do feminismo, a partir do ano 1960. A antropóloga Adriana Piscitelli (2002) destaca que o período que precedeu o desenvolvimento do conceito de gênero foi marcado por algumas formulações das feministas radicais.

Na tentativa de explicar as condições de opressão da mulher, as feministas radicais procuraram estabelecer uma essência universal que unificasse as lutas feministas. Advogando a existência de uma "natureza feminina", elas passaram a compreender que a opressão de todas as mulheres estava vinculada ao exercício das funções reprodutivas. A condição da mulher numa conotação biológica é compreendida como causa de sua opressão na cultura masculina, que expressa a própria hegemonia a partir da ideia de patriarcado. Os conceitos de mulher, opressão e patriarcado são centrais para essas feministas, entendendo-se mulher na perspectiva da diferenciação sexual em relação ao homem (PISCITELLI, 2002).

Posteriormente à década de 1960, continuando a segunda onda do feminismo, o conceito de gênero passou a ser desenvolvido para combater dentro do próprio feminismo discursos essencialistas que buscavam a "natureza feminina". As feministas passaram, então, a estruturar o conceito de gênero de modo a compreendê-lo em dimensões culturais e históricas, tentando evitar a compreensão de mulher como algo universal.

A percepção plural de mulher, a partir da categoria gênero, passará a ser desenvolvida levando-se em conta contribuições de muitas feministas. A afirmação de Simone de Beauvoir (1970), "Não se nasce mulher, torna-se mulher", traz evidências para se pensar que há um processo de produção desse "ser mulher". A referida frase é bastante celebrada e repetidamente afirmada como uma provocação fundamental à compreensão de que ser mulher não é um destino natural. Conforme propõe a socióloga marxista brasileira Heleieth Saffioti (1999), a premissa que a afirmação de Beauvoir traz ao feminismo é a compreensão de que o "torna-se mulher" exige um processo de aprendizagem, ou, ainda, de construção, uma vez que as feminilidades não são dados da natureza biológica.

Aplicada aos estudos feministas, a proposição de Beauvoir fundamenta a noção de que o conceito de gênero seria uma construção social. Embora em seus estudos a filósofa francesa existencialista nunca tenha diferenciado sexo de gênero, para o feminismo a provocação "não se nasce mulher" é fundamental ao que Saffioti (1999) chama de os "primórdios do conceito de gênero".

Na literatura científica, o conceito de gênero surge na segunda metade do século 20, com as considerações de John Money (1955) no intuito de desvincular os papéis sociais de homens e mulheres de uma relação natural com o sexo biológico. Uma das primeiras formulações que associam gênero às opressões vividas por mulheres foi proposta pela antropóloga estadunidense Gayle Rubin (1993, p. 2), em seu texto fundamental "O tráfico de mulheres", publicado em 1975. Rubin sugere essa relação entre gênero (cultural) e sexo (supostamente biológico) por meio do conceito de "sistema sexo/gênero", definido como o "conjunto de arranjos por meio dos quais uma sociedade transforma a anatomia biológica em produtos da atividade humana". Assim, o gênero transforma o sexo, transforma a "naturalidade" do sexo em algo que é cultural. Para Rubin (1993, p. 10-11)

> toda sociedade tem também um sistema de sexo/gênero — uma série de arranjos pelos quais a matéria-prima biológica do sexo humano e da procriação é moldada pela intervenção humana, social, e satisfeita de um modo convencional, por mais bizarras que algumas dessas convenções sejam.

O deslocamento provocado por Rubin (1993), de desnaturalizar o sexo a partir da categoria gênero, é importante pelo esforço em estabelecer o gênero em uma perspectiva cultural. Contudo, a natureza biológica do corpo como anterior ao gênero é mantida, ancorando gênero em bases naturais – problematização essa que será retomada em outro momento, a partir dos discursos das feministas pós-estruturalistas. Rubin (1993) rejeita as concepções universais para a opressão das mulheres, enxerga o sistema sexo/gênero como produto da atividade humana histórica e considera que são os sistemas sociais que criam o sexismo e o gênero. Inclusive, Rubin (1993) entende que a opressão de mulheres não é algo inevitável e ainda acredita que seja possível construir uma sociedade "sem gênero", na qual a anatomia sexual não seria relevante para o que o sujeito é.

As percepções de Rubin (1993) trazem uma concepção mais pulverizada das relações de poder, que será bastante valorizada nos estudos feministas posteriores. Tal ângulo surge na medida em que, de acordo com Piscitelli (2002), ocorre um deslocamento do conceito mais abstrato e universal de patriarcado, pensado pelas feministas radicais, que postulava a dominação masculina baseada nas diferenças sexuais. Esse novo olhar, a partir do conceito de gênero, indicava que as opressões vivenciadas por mulheres são diversas e variam de sociedade para sociedade.

A partir de Rubin (1993) e do trabalho de outras feministas, ampliaram-se as pesquisas sobre a realidade social das mulheres e suas opressões em diversas áreas do conhecimento, fortalecendo o conceito de gênero no feminismo. Na década de 1980, Joan Scott (1995) assinalou o desenvolvimento do conceito de gênero e buscou atingir uma legitimidade dentro das universidades, o que aos poucos originou os estudos feministas ou estudos de gênero. Antes, até meados de 1970, o foco dos estudos das feministas era "a mulher", no singular; mais tarde foi entendido como "estudos das mulheres", e somente depois passou-se a utilizar o conceito de gênero como categoria analítica. Scott (1995) assinala que "gênero" surge como uma nominação mais objetiva e neutra, diferente do termo "mulheres", de conotação mais política e subjetiva.

O deslocamento para o conceito de gênero é importante para a história do feminismo, pois muitas feministas, em primeiro lugar, deixam de operar com a ideia universal e abstrata de mulher no singular. Além disso, também abandonam a ideia de que todas as mulheres são oprimidas de forma homogênea e universal e passam a entender como esses processos de opressão acontecem a partir de inúmeros marcadores e/ou condicionantes sociais e culturais. Não significa dizer que o machismo, o patriarcado e o sexismo não inflijam danos em "todas as mulheres", mas é bastante pertinente compreender que essas relações de opressão são diversificadas. Por isso, insisto, a ideia de universalismo no feminismo é rasa e contribui para a inviabilização de algumas sujeitas, já que um entendimento universal não oferece condições concretas de análise crítica da realidade social vivida pelas mulheres.

Nessa perspectiva, para a filósofa estadunidense Nancy Fraser (2019), é na segunda onda que as ideias precursoras do que hoje entendemos como interseccionalidade passaram a ser postas em evidência. Nesse caminho, vale salientar que, ao contrário do que muitos pensam, a ideia de interseccionalidade não surgiu na terceira onda, ou ainda na maneira como muitos feminismos no século 21 vão se consolidar pela ampla divulgação de suas reivindicações. Aliás, concordo com a feminista negra Djamila Ribeiro (2019), que, em suas palestras, posiciona-se contrariamente à divisão do feminismo em "ondas". Embora seja um interessante recurso didático, promove uma linearização e sintetização das questões feministas em torno de ideias centrais, perdendo-se assim a grande gama de bandeiras e experiências de lutas levantadas por várias mulheres no decorrer da história mundial.

Por isso, é muito importante destacar que, desde a década de 1960, feministas negras, feministas lésbicas, feministas socialistas e feministas anti-imperialistas engendraram esforços para compreender as mulheres em suas múltiplas relações de opressão, operando marcadores como gênero, raça/etnia, classe, sexualidade/orientação sexual, nacionalidade, entre outros. Em embates da época, as feministas tentavam recusar a primazia das classes, bem como o foco essencialista e universalista das feministas radicais, que insistiam que a opressão das mulheres era exclusivamente relacionada ao gênero na perspectiva da diferenciação sexual (FRASER, 2019).

Não podemos nos esquecer de destacar trabalhos preciosos como os de Audre Lorde, Adrienne Rich, Patricia Hill Collins, Monique Wittig, Sandra Harding e Angela Davis, entre outras, que, em suas análises, contribuíram para o avanço teórico e político do feminismo, rompendo com a hegemonia da mulher cis, heterossexual, branca, de classe média, magra e sem deficiências. Os diversos olhares feministas passaram a evidenciar que as questões de gênero, raça, etnia, classe, sexualidade, orientação sexual e nacionalidade têm impacto nas opressões vividas por mulheres. Os discursos interseccionais passam a repercutir ainda na segunda onda do feminismo, ganhando notável valor na terceira onda. Na atualidade, a interseccionalidade constitui uma categoria fundamental pra se entender as experiências femininas de modo ainda mais plural, em que formas de opressões se interceptam.

Inclusive, é na segunda onda que Gayle Rubin contribui para que o conceito de gênero possa ser associado às opressões vividas pelas mulheres. A antropóloga fez com que a categoria ganhasse forte instrumentalidade teórica e política e se consolidasse como um caminho para compreender as opressões vivenciadas por mulheres sem a necessidade de recorrer a uma "natureza feminina", ou ainda exclusivamente às questões de classe. O uso do conceito de gênero em seu trabalho vai permitir o surgimento de diversas ramificações do feminismo.

Como afirma Caia Coelho (2017), cerca de vinte anos depois da publicação do trabalho de Rubin (1993) pesquisadoras feministas diversas passaram a abordar o conceito de gênero como se ele sempre tivesse existido. Primordialmente a partir da década de 1980, ele ganha amplitude dentro do escopo teórico feminista e segue na tentativa de manter uma inconformidade com a universalização e a essencialização das mulheres. Tangenciando questões binárias entre natureza e cultura, de acordo com Joan Scott (1995, p. 75), o conceito de gênero passa a designar uma distinção entre cultura e biologia. Dessa forma, o uso do termo "gênero"

> (...) rejeita explicitamente explicações biológicas, como aquelas que encontram um denominador comum, para diversas formas de subordinação feminina, nos fatos de que as mulheres têm a capacidade para dar à luz e de que os homens têm uma força muscular superior. Em vez disso, o termo "gênero" torna-se uma forma de

indicar "construções culturais" — a criação inteiramente social de ideias sobre os papéis adequados aos homens e às mulheres. Trata-se de uma forma de se referir às origens exclusivamente sociais das identidades subjetivas de homens e de mulheres. "Gênero" é, segundo esta definição, *uma categoria social imposta sobre um corpo sexuado* (grifos meus).

Scott (1995) destaca a forma como a categoria de gênero é relacional, inserida nas relações de poder, e nos leva a pensar os diferentes modos, a partir de marcações históricas, de como as feminilidades e as masculinidades são construídas. Por um lado, tanto Rubin (1993) como Scott (1995) rejeitam a premissa de que a opressão feminina estaria em uma fundamentação biológica dos sexos, trazendo o debate para o fecundo campo da cultura. Por outro, nenhuma das duas pesquisadoras feministas consegue fugir de uma anterioridade biológica sobre a qual o conceito de gênero vai atuar. Esse limite só começa a ser superado a partir da terceira onda do feminismo (LOURO, 2004).

Os estudos de Rubin (1993) e Scott (1995) são essenciais para as teorias feministas e favorecem uma dimensão cultural e histórica dos papéis de gênero; são, portanto, textos de leitura fundamental. No entanto, embora as feministas tenham avançado com o conceito de gênero, ainda existe um limite que precisa ser superado, que é a ideia, defendida por feministas radicais, de que o sexo anatômico/biológico guardaria qualquer tipo de verdade sobre a suposta "natureza feminina". Por mais que o gênero seja cultural, o sexo seria esse limite imposto pela natureza que a cultura só poderia transpassar, operar, mas nunca produzir.

Segundo a italiana Teresa de Lauretis (2019), pesquisadora da Universidade da Califórnia, entender o conceito de gênero como diferença sexual é uma limitação ao pensamento feminista. Feministas como Rubin (1993) e Scott (1995) podem ser inseridas dentro daquilo que Linda Nicholson (2000) denomina de "fundacionalismo biológico", perspectiva que vincula o conceito de gênero às bases biológicas do sexo, estabelecendo uma conexão, mas também uma diferenciação. De modo metafórico, Nicholson (2000) afirma que as feministas vinculadas ao fundacionalismo biológico compreendem que o sexo, ou, ainda, o corpo, seja um "porta-casacos" (cabide de pé) no qual poderiam ser jogados diferentes comportamentos culturais, "modos de ser homem e de ser mulher".

Além disso, Nicholson (2000) também vai caracterizar como "determinismo biológico" a compreensão de que o gênero ou ainda os comportamentos sociais de homens e mulheres são consequências inevitáveis da natureza biológica do corpo. Para Nicholson (2000), tanto o determinismo biológico como o fundacionalismo biológico devem ser abandonados. Ela defende que a população humana diverge quanto aos modos como compreende o corpo, e a tarefa do feminismo seria compreender as mulheres a partir da historicidade em contextos específicos, em vez de entender mulheres como tais ou mulheres em sociedade patriarcais. Ressalto, ainda, que Nicholson (2000) acredita que, mesmo em termos políticos, não há necessidade de uma definição fixa sobre mulher, além de advogar a possibilidade de um jogo complexo de significados que se relacionam entre si.

Outra ruptura com a interpretação binária de gênero com bases biológicas se dá a partir do conceito de tecnologia apresentado pelo filósofo francês Michel Foucault (2003), por meio do qual Teresa Lauretis (2019) passa a compreender que nem gênero nem sexualidade são propriedade de corpos naturais; igualmente, não há anterioridade dessas propriedades em relação aos seres humanos. Gênero é, assim, tanto o produto quanto o processo, e a "tecnologia de gênero", como definida por Lauretis (2019), passa a denominar as proliferações discursivas que produzem as masculinidades e as feminilidades.

O filósofo espanhol Paul B. Preciado (2017) entende gênero como tecnologia que não apenas modifica a natureza, mas a produz. As questões de gênero não nos permitem, portanto, traçar limites sobre onde termina a natureza ou onde começa a cultura. Sua produção se realiza em múltiplas dimensões, que fazem com que os sujeitos e sujeitas produzam a si mesmos como corpos generificados, como corpos de uma sexualidade, conforme mostra Foucault (2006).

Infelizmente, para muitas pessoas, continua sendo difícil entender gênero numa perspectiva cultural, e mais difícil ainda entender que gênero é o dispositivo que produz o sexo, como propõe Judith Butler (2017), uma vez que várias feministas seguem repetindo a ladainha "sexo é biológico e gênero é cultural". Se essa relação binária de dividir biologia e cultura é útil para explicar que a opressão é produzida socialmente e não é algo natural, tal binarismo mantém o sexo como uma verdade que determina os nossos corpos. Quanto a isso, reitero que qualquer verdade universal sobre os nossos corpos é um entrave para o feminismo. Não é a nossa "anatomia biológica" que produz o gênero, mas o gênero, como indica Butler (2017), é o próprio processo pelo qual os corpos se tornam matéria. Afinal, nós não somos nossos corpos, nós fazemos nossos corpos.

Assim, compreendendo que o gênero não estabelece limites fixos entre o que consideramos orgânico (natural) e o que chamamos de cultura (artificial), concordo com Donna Haraway (2013) ao pensar que todos e todas somos híbridos, ciborgues. É preciso, nesse sentido, romper com as narrativas de origem, com as ideias essencialistas, carnavalizar as fronteiras entre o biológico e o cultural, entendendo gênero como performance, como processo de produção dos nossos corpos, do sexo. Essas supostas origens essenciais do corpo são, como sugere Preciado (2017), a fixação como verdade de diferenças sexuais.

Nossos corpos se materializam em formas diversas de feminilidades – não há essa pretensa natureza feminina que nos define, como entendem as feministas radicais. Se esbocei, de forma breve, algumas ideias que nos permitem entender como o conceito de gênero foi gestado, é para que possamos concluir que, para o feminismo, para o transfeminismo, ser radical é recusar universalidades rasas que limitam nossas trajetórias de opressão. Há diferentes modos de viver as mulheridades e as feminilidades; são muitas as possibilidades de se performar gêneros.

É por isso que precisamos entender que "somos diversas, mas não dispersas", como propõe a travesti negra brasileira Jaqueline Gomes de Jesus em seu canal no YouTube. Firmar mulheres trans, travestis, transexuais e transgêneras dentro do feminismo não é dispersão, tampouco divisão, mas reconhecer como o conceito de gênero propõe a diversidade de performances e experiências femininas ou estabelece negociações culturais estratégicas e de representação política com as mulheridades.

O conceito de gênero, quer entendido como performance ou, de outro modo, como construção cultural, deveria ser suficiente para haver mulheres transexuais e travestis no feminismo – afinal, não se nasce mulher, torna-se mulher. A questão que me parece limitante é: quem pode se tornar mulher? Ora, se apenas corpos com vagina podem se tornar mulheres, não seria essa concepção uma essencialização de categorias tão marcadas pela cultura, pela história e pelas relações de poder como as mulheridades e as feminilidades?

Devo insistir que o potencial conceitual e político da categoria gênero reside em operar em uma desessencialização e desnaturalização da identidade da mulher, inclusive na tentativa de romper com a ideia de mulher como única possibilidade de constituição de sujeita dentro do feminismo. Desse modo, emerge, por exemplo, a categoria travesti em suas diversas expressões, desde travestis não binárias, mulheres travestis ou apenas travestis, como possibilidades de autodeterminação de nossas experiências de "outreridades" – termo que explicarei mais adiante e que prefiro usar para demarcar a produção de diferenças dentro do feminismo.

O transfeminismo estabelece um diálogo de corpos dissidentes da cis-heteronormatividade com os feminismos, daí a ampla possibilidade de autodefinição. Assim, o transfeminismo reconhece que muitas performances e experiências não escritas dentro do termo "mulheridades" possam ser parte do feminismo, como as que se reconhecem dentro das travestilidades (travestigeneridades).

Essa teimosia de algumas correntes feministas, em especial do feminismo radical, ou de feministas em particular, em considerar que apenas corpos com vagina podem se tornar mulheres, é uma limitação que precisa ser superada. Ademais, se a vagina determina o destino de um corpo como mulher, o que mais nos resta para lutar politicamente? Ser mulher é então um destino irremediável ao qual todos os corpos com vagina estão destinados?

Desessencializar o gênero é tão importante para nós porque é na medida em que essa desnaturalização acontece que podemos perceber que outras sujeitas dentro das relações de poder fortemente marcadas pelo machismo, sexismo e patriarcado na sociedade vigente podem fazer parte do feminismo, como sujeitas legítimas de luta, experiências e produção conceitual. Nesse sentido, os processos de entrada de mulheres trans, travestis, transexuais e transgêneras no feminismo são umas das questões centrais ao transfeminismo.

Nós, mulheres transexuais e travestis, ainda somos vistas pelo feminismo como *outsiders*, aquelas que estão fora. Por vezes, não somos sequer tratadas em nossas mulheridades ou femininilidades; há pessoas que insistem em nos tratar no masculino e afirmar que somos "homens vestidos de mulheres" – por isso, somos *no sisters*, não somos irmãs. Seguiremos debatendo sobre os não lugares ocupados pelas mulheres trans dentro do CIStema de sexo-gênero-desejo e sobre a importância de garantir que as outreridades ocupem espaço dentro do escopo feminista.

MULHERES TRANSEXUAIS E TRAVESTIS:
THE OUTSIDERS NON SISTERS

Ainda é comum nos depararmos com discursos que entendem, como afirma Djamila Ribeiro (2019) com base no que propôs Beauvoir, que insistir no feminismo negro é dividir o feminismo. Audre Lorde (2019, p. 243) diz que "recusar reconhecer a diferença torna impossível enxergar os diferentes problemas e armadilhas que nós, mulheres, enfrentamos". Há, contudo, inúmeras querelas que impedem as mulheres transexuais e travestis de efetivamente fazerem parte do feminismo. Todavia, especificamente no Brasil, trabalhos de transfeministas como Beatriz Bagagli, Bruna Benevides, Caia Coelho, Céu Cavalcanti, Hailey Kaas, Helena Vieira, Jaqueline Gomes de Jesus, Megg Rayara, Mariah Silva, Maria Clara Araújo, Sara Wagner, Yuna Vitória, entre outras, contribuem significativamente para que possamos chegar a entendimentos comuns entre o transfeminismo e as demais correntes do feminismo.

Não faz parte dos objetivos do transfeminismo dividir o feminismo, mas torná-lo mais plural. Se olharmos de modo detalhado e não generalizante, será possível perceber que a história do feminismo é intensamente marcada pelas lutas e resistências de mulheres cis, mulheres brancas, mulheres negras, travestis, transexuais, feministas socialistas, anti-imperialistas, mulheres lésbicas, mulheres latino-americanas, afro-ameríndias, indígenas, pessoas não binárias, pessoas *queer*. As contribuições são diversas e apenas enriquecem o feminismo. Com tantas mulheres distribuídas em tantas vivências, existem objetivos em comum, que precisamos fortalecer. Já quanto às querelas, bem, as querelas podem existir dentro de um nível de respeitabilidade.

Se buscássemos a divisão, criaríamos um movimento próprio sem vinculação ao feminismo e faríamos oposição a ele. No entanto, ao contrário, o transfeminismo pensa junto com o feminismo, com a teoria *queer* e além. Como afirma Wittig (2019), se insistimos no feminismo, não é por nos identificarmos com a categoria abstrata e universal mulher, mas para afirmar que os movimentos possuem uma história. Há um elo, portanto, entre essas diversas formas de pensar o feminismo e o velho movimento feminista. A ideia de continuidade é necessária e fortalece a luta em seu caráter histórico. E os nossos inimigos continuam os mesmos: o patriarcado, o machismo e o sexismo, além de outras questões que surgem com a interseccionalidade.

Se para muitas mulheres cis feministas é difícil o reconhecimento de mulheres transexuais e travestis como sujeitas dentro do feminismo, é necessário destacar que, na verdade, não gozamos muitas vezes nem do status de humanidade. Dialogando com o feminismo decolonial, a partir da feminista sul-americana María Lugones (2014), aproprio-me do conceito de colonialidade do gênero para afirmar que experiências como seres humanos são historicamente negadas para mulheres transexuais e travestis, bem como para mulheres negras escravizadas e mulheres indígenas, numa atitude de verdadeira bestialização de nossas existências.

Jaqueline Gomes de Jesus (2019) nos relata que Xica Manicongo, natural do Congo e escravizada, considerada atualmente a primeira travesti negra do Brasil, precisou abrir mão de se vestir de acordo com sua identidade de gênero feminina para permanecer viva após enfrentar a Primeira Visitação da Inquisição, ainda no século 16. O exemplo citado ilustra como a injunção de um sistema colonial de gênero opera para a desumanização de pessoas que estejam fora da hierarquia dicotômica baseada na diferenciação sexual.

No relato de Jaqueline Gomes de Jesus (2019), a acusação central à Manicongo é a de sodomia, e, algum tempo depois de seu caso, o crime de vestir-se com os trajes de alguém do gênero diverso ao atribuído socialmente passou também a constituir-se crime. Nesse sentido, há um forte contexto de criminalização das transgeneridades e consequente não reconhecimento dessa experiência como humana. É importante ressaltar que, na perspectiva do feminismo decolonial, não podemos deixar de destacar as questões de raça e classe (exploração capitalista) no exemplo de Xica Manicongo, que, certamente, numa dimensão interseccional, aumentaram sua vulnerabilização.

Em uma perspectiva histórica de gênero e sexualidade, as transgeneridades ocupam um lugar de não existência: como mulheres transexuais e travestis, somos forasteiras da humanidade, estrangeiras do gênero. Esse não lugar existencial é um tema recorrente no feminismo e aparece, por exemplo, por meio da categoria *Outro* no trabalho de Beauvoir (1970, p. 16-17), em que ela afirma que

> a mulher determina-se e diferencia-se em relação ao homem, e não este em relação a ela; a fêmea é o inessencial perante o essencial. O homem é o Sujeito, o Absoluto; ela é o Outro.

A partir da dialética do ser de Hegel, Beauvoir (1970) nos apresenta seu entendimento de que a mulher não é essencialmente, naturalmente e de modo imutável inferior. O lugar hierárquico ocupado por mulheres como *Outro* passa por um processo de tornar-se, um processo de produção de si.

Nesse processo de tornar-se mulher, o homem é colocado como polo positivo central, a partir do qual a mulher só pode ocupar um lugar inferior. Sobre a perspectiva hegeliana, Beauvoir (1970, p. 18) assinala: "Ser é ter-se tornado, é ter sido feito tal qual se manifesta." Destaco que Beauvoir (1970, p. 28) entende que gênero não faz inexoravelmente parte da natureza humana, asseverando que "é exercendo a atividade sexual que os homens definem os sexos e suas relações, como criam o sentido e o valor de todas as funções que cumprem, mas ela não está necessariamente implicada na natureza do ser humano".

Nesses termos, deixando a diferenciação sexual ao terreno da biologia, que, para a filósofa existencialista, faz uma divisão entre macho e fêmea, Beauvoir (1970) assinala que, se há discursos do tipo "se comportem como mulheres", por exemplo, é porque a anatomia biológica não é suficiente para "ser mulher". Assim, a filósofa conclui que "se torna mulher", e esse processo de tornar-se se faz na relação com o homem, que é o dominante, em um entendimento sartreano, um "ser em si". A mulher, impedida de constituir um "ser para si", é marcada como *Outro*, ocupando uma hierarquia de submissão em relação ao homem.

Simone de Beauvoir toma a mulher como sujeito universal, o que me instiga a perguntar: será que todas as mulheres vivem a *outreridade*, ou seja, o modo de ser *Outro*, do mesmo modo? Situando historicamente e dentro das relações sociais e de poder, como nos ensina Foucault (2003), não seria a mulher branca, cis, heterossexual, de classe média, cristã, magra e sem deficiências o *Outro* para o homem branco, cis, heterossexual, de classe média, cristão, magro e sem deficiências? Se a mulher, nos marcadores mencionados, é o *Outro* do homem branco nos moldes referidos, que lugares sociais as outras sujeitas e os outros sujeitos ocupam dentro das hierarquias sociais?

Na perspectiva do feminismo negro, Grada Kilomba (2019) vai apresentar a mulher negra como o *Outro* do *Outro*, considerando que a mulher negra não tem uma relação de reciprocidade com o homem, seja este branco ou negro, tampouco tem uma relação de reciprocidade com a mulher branca. Kilomba (2019) entende a negritude como um "não lugar"; dessa forma, devemos compreender que o homem negro não tem o status de *Outro*, como o homem branco. A falha no pensamento beauvoiriano é pensar tanto o homem como universal, sem entender que ele também apresenta intersecções, quanto a mulher em uma falsa relação de reciprocidade com o homem, e também numa condição universal.

Para Djamila Ribeiro (2019), recusar a universalidade do homem e da mulher como pensado por Beauvoir (1970) requer compreender que existem oscilações entre os lugares ocupados, identificando certas invisibilidades – homens negros enfrentam o racismo, mas mulheres negras, além do racismo, sofrem com o sexismo. Portanto, existem *outreridades* diversas. Decerto as violências vividas por homens negros são diversas e impactantes, contudo, em vários momentos, eles são beneficiados com as construções machistas socialmente vigentes. A ideia de *Outro* como pensado por Beauvoir (1970) não é estática; ela se movimenta.

Como mulheres transexuais e travestis, os deslocamentos das *outreridades* se movem de modo a produzir a vulnerabilização de nossas existências. Nossas *outreridades* estão além; somos, de certa maneira, o *Outro* do *Outro* do *Outro*, uma imagem distante daquilo que é determinado normativamente na sociedade como homem e mulher. Nesse sentido, é difícil para homens e mulheres cis, brancos, negros e com tantos outros marcadores reconhecer que as materializações de gênero performadas por mulheres transexuais e travestis possam estar nas lutas feministas ou ser reconhecidas dentro das mulheridades e feminilidades.

Sem o sentimento de pertencimento ao gênero masculino como ele é normatizado, a nós é constantemente negado o direito de nos definirmos como mulheres por não possuirmos "a genitália certa", ou seja, não somos corpos cisgêneros, conceito que será abordado em outro momento. É nesse não lugar que construímos nossas identidades como travestis, transexuais e mulheres transgêneras. A adesão de mulheres transexuais e travestis ao feminismo como transfeministas pode ocorrer com o reconhecimento de nossas performances de gênero, tanto dentro das mulheridades e/ou feminilidades, quanto das performances dissidentes, como as travestigeneridades, enquanto gênero originário. Isto é, entende-se a travestigeneridade como gênero originário, no sentido de ser um gênero próprio, um gênero em si, para além do binarismo homem e mulher – as travestigeneridades apresentam-se como mais um gênero, ou um terceiro gênero.

Somos completas *outsiders* no CIStema sexo-gênero-desejo, desafiando não apenas os limites de uma inteligibilidade de gênero, mas também os do próprio reconhecimento enquanto seres humanos. É a partir do nosso lugar como *outsiders* que conseguimos perceber o quanto o determinismo entre sexo e gênero é falho e o quanto a suposta natureza essencial masculina embutida no pênis é insuficiente para que alguém se defina como homem. Dessa forma, concordo com Collins (2016,

p. 101-102) ao afirmar que a experiência *outsider* pode possibilitar a construção de pontos de vista singulares. De fato, a marginalidade é um estímulo à criatividade.

Como transfeministas, somos incisivas na desnaturalização da identidade da mulher. Para Helena Vieira (2018, p. 354), "a desnaturalização da identidade da mulher resultou, portanto, na denúncia da multiplicidade das experiências resultantes no que socialmente se chamava mulher e na impossibilidade de uma resposta categórica e universal à pergunta, aparentemente simples, 'O que é ser mulher?'".

O questionamento sobre o que é ser mulher é uma constante no pensamento feminista. Apresenta conexões inclusive com variadas correntes, como, por exemplo, o feminismo negro de Sojourner Truth, que é o marco para se compreender que mulheres negras não são vistas como mulheres, que não performam as mesmas mulheridades das mulheres brancas. Já no feminismo negro brasileiro, Sueli Carneiro (2003) expõe, de forma contundente, como os discursos em torno da mulher como sujeito universal não condizem com a situação de todas as mulheres. Um exemplo é a premissa de que "a mulher é frágil", que não se aplica à maior parte das mulheres negras, pois, desde a escravidão, elas vivem uma relação brutal com o trabalho. Em outra perspectiva, Wittig (2019), considerando o feminismo lésbico, afirma que continuamente recusar a heterossexualidade significa recusar ser mulher, propondo a ideia, para muitos incabível, de que ser lésbica não é ser mulher.

A transfeminista Helena Vieira (2015), a partir dos estudos *queer* e das análises apresentadas por Butler (2017), também não se reconhece como mulher, afirmando-se como travesti e reivindicando sua feminilidade. "De saída sabemos: ou se é homem ou mulher, não há outra categoria, supõem alguns, de inteligibilidade para os corpos", salienta de modo questionador a travesti cearense (VIEIRA, 2018, p. 351). Assim, o feminismo negro, o feminismo lésbico e o transfeminismo, em algumas de suas análises, questionam a ideia de "mulher" como categoria universal, essencialista, estática e binária (em relação ao seu oposto, o homem).

É preciso destacar, portanto, que a ideia universal de mulher, inclusive numa relação essencialista com o sexo anatômico, é insuficiente para nomear as possibilidades de experiências femininas em diferentes marcadores interseccionais de performatividade de gênero. Daí a importância de um conceito de gênero que não seja nem universal nem essencial e que possa permitir a afirmação de mulheridades, um termo que pluraliza a noção de mulher e de feminilidades, no intuito de reconhecer que existem performances de gênero femininas experimentadas por corpos que não necessariamente se entendem como mulheres.

Portanto, o feminismo demanda o reconhecimento da luta política e produção teórica de pessoas que vivenciam as opressões de gênero (cis)sexistas e que se reivindicam dentro de uma performance de gênero de mulheridades e/ou feminilidades. Nesse grupo, incluo as pessoas não binárias que rejeitam a ideia de mulheridades, mas percebem que suas performances dialogam com as múltiplas expressões das feminilidades. Entendo que as mulheres podem performar feminilidades, mas nem todas as performances femininas se reivindicam dentro das mulheridades.

Muitas travestis e transexuais se sentem mulheres e podem e devem reivindicar-se como tal; inúmeras outras, entretanto, entendem a si mesmas como uma expressão de gênero originária e, portanto, não se sentem homens nem mulheres. A sentença "eu sou travesti" é suficiente para marcar seus locais dentro de uma identificação de gênero. A compreensão de mulheridades, feminilidades e travestigeneridades perpassa por uma estratégia política, e não condição ontológica, uma vez que se reivindicar dentro de uma performance de gênero relaciona-se diretamente à possibilidade de tornar-se alguém dentro das sociedades ocidentais.

Nesse processo de ampliação das sujeitas do feminismo, acredito ser importante respeitar, tal como propõe Patricia Hill Collins (2019), o poder da autodefinição. Foi assim que as mulheres negras dentro do feminismo passaram a construir lugares dos quais pudessem compreender suas experiências, definindo suas mulheridades a partir de uma experiência racialmente negra. De certo modo, é este espaço que o transfeminismo reivindica: um lugar dentro do feminismo em que nossas experiências de mulheridades e/ou feminilidades possam ser reconhecidas, nossas produções intelectuais sejam respeitadas e nossas reivindicações políticas encontrem apoio mútuo.

Como transfeministas, desejamos definir a nós mesmas em nossas relações com as *outreridades* experimentadas por nossas corporalidades *outsiders*, a cis-heteronormatividade. Acredito que o poder de autodefinição para o transfeminismo perpasse pela validação dos desejos de mulheres transexuais e travestis em nomear e produzir suas corporalidades e identidades de gênero. É preciso demarcar, ainda, a pluralidade de possibilidades de autodefinição. Por exemplo, enquanto Helena Vieira (2015) se afirma como travesti dentro de uma feminilidade, Sara Wagner Gonçalves Jr. (2018) se apresenta como mulher travesti. Ambas performam gêneros dissidentes à norma cis-heteronormativa e ambas são transfeministas.

Para Preciado (2018), as identificações estratégicas como "sapata" e "bicha", "pessoas transgêneras", e também considero as "travestis" entre elas, podem servir para fugir dos riscos universalizantes historicamente reproduzidos pelos termos "homem" e "mulher". Acredito que, de fato, o uso de tais identificações possa ser uma estratégia ao problema apresentado por Butler (2017) em torno da definição do "sujeito do feminismo". Por isso, entendo que o transfeminismo é, ao mesmo tempo, lugar de luta política e de produção intelectual, compartilhado por pessoas que se autodefinem como mulheres, *queers*, mulheres travestis, mulheres transgêneras, mulheres transexuais, pessoas não binárias, travestis ou ainda de outros modos, como "transviada" ou "bixa travesti". Espero e desejo que nós possamos romper criativamente com a compulsoriedade binária de que ou se é homem ou se é mulher.

A despeito da forma como nos autodefinimos, como corpos trans* e travestigêneres, ao recusarmos a suposta verdade biológica imposta pelo CIStema sexo-gênero-desejo, entramos em um lugar de precarização de nossas existências, exatamente por ocuparmos um não lugar em relação ao gênero normativo. As experiências de *outreridades* por nós vivenciadas nos retiram de uma condição de inteligibilidade humana imposta pelos corpos cis, que possuem privilégios na colonialidade de gênero. Conforme nos autodefinimos dentro das mulheridades e/ou feminilidades, aproximamo-nos de um reconhecimento dentro de uma inteligibilidade de gênero e humana. Ao mesmo tempo, em contrapartida, contribuímos para desnaturalizar o modo socialmente instituído de se pensar a categoria "mulher".

Ainda sobre a questão da autodefinição, destaco também que, mesmo a partir do questionamento da mulher como sujeito universal, muitas feministas lésbicas, feministas negras e feministas de modo geral se autodefinem como mulheres, reivindicam-se dentro da categoria mulheridades – um privilégio que lhes é concedido pela cisgeneridade, o que ainda debateremos. Ao se autodefinirem como mulheres, as feministas compreendem gênero numa perspectiva plural e percebem que cada uma de nós performa suas feminilidades, ou mulheridades, de modo distintos, empreendendo um projeto coletivo, dentro do feminismo, de luta contra o sexismo, o machismo e o patriarcado. Nessa perspectiva, Wittig (2019, p. 88-89) diz:

> (...) eu acredito que essa é a razão pela qual todas as tentativas de "novas" definições de mulher estão florescendo agora. O que está em jogo (e é claro que não é só para as mulheres) é uma definição individual, bem como uma definição de classe. Pois, quando se reconhece a opressão, é preciso conhecer e experimentar o fato de que uma pessoa pode constituir a si mesma como sujeito (em oposição a objeto de opressão), que uma pessoa pode ser tornar *alguém* apesar da opressão, que cada um possui sua própria identidade. Não existe luta possível

para alguém privado de identidade, não existe motivação interna para lutar, uma vez que, embora que eu só possa lutar com outros, primeiro eu luto por mim mesma.

Se, enquanto mulheres transexuais e travestis, interessamo-nos por uma vinculação ao feminismo, é porque compreendemos que nossas identidades dentro das mulheridades e/ou das feminilidades possuem conexões com as construções identitárias coletivas dentro do feminismo. Há, então, um jogo entre as identidades individuais e as construções coletivas. Entendemos que nossas performances de gênero como mulheres transexuais e travestis se fazem por meio de discursos, regimes de verdade, materializações de corpos, aparatos jurídicos sobre gênero que se proliferam socialmente.

Dessa forma, as corporalidades de mulheres transexuais e travestis na relação com tais discursividades e materializações podem aceitar, rejeitar ou produzir subversões sobre uma série de negociações, assim como as mulheres cis, brancas ou negras também o fazem. Como Butler (2017) assinala, "não existe gênero original, todas somos cópias de cópias", de maneira que é preciso compreender que as mulheres transexuais e travestis se fazem num processo de repetição subversiva. A categoria mulher tal qual imposta pelo CIStema de gênero é um ideal normativo inatingível que busca infligir violências constantes.

Butler (2016) propõe que os corpos não se conformam completamente às normatizações às quais são impostos. Ademais, conforme sempre nos alerta Foucault (1988), onde há poder, há resistência. E, em meio a esses jogos de poderes, resistências e subversões, os corpos se fazem. A categoria mulher como ideal performativo imposto pelo CIStema sexo-gênero-desejo é, então, estraçalhada, emergindo as mulheridades, feminilidades, travestigeneridades e outras experiências como possibilidades políticas dentro do feminismo.

Aponto, assim, que as experiências de *outreridades* vividas por mulheres negras, lésbicas, travestis, gordas, com deficiência, do terceiro mundo, do sul global, de religiões afrodiaspóricas, pobres; enfim, essas *outras* que não encontram reciprocidade nem na mulher branca, cis, heterossexual, de classe média, cristã, magra e sem deficiências nem no homem branco, cis, heterossexual, de classe média, cristão, magro e sem deficiências, são cruciais para o delineamento dos feminismos como se configuram na atualidade.

Nesse sentido, as experiências de ser *outra*, ao mesmo tempo que podem positivamente nos possibilitar um ponto de vista particular em relação ao feminismo, também impõem negativamente uma precarização de nossas existências. Por isso, é importante unir nossas *outreridades* dentro do feminismo. Compreender que essas *outras* também são sujeitas do feminismo promove uma pluralização necessária para a luta contra o sexismo, o machismo e o patriarcado. Cabe reafirmar aqui que esse processo de autodefinição como sujeitas do feminismo é um empreendimento político, e não ontológico.

Sabemos, entretanto, que essa pluralização das sujeitas do feminismo não é uma composição harmônica. O livro *Quem tem medo do feminismo negro?*, de Djamila Ribeiro (2018), desde o título é bastante provocativo. Nele, a autora sugere reflexões que nos permitem constatar que a presença da identidade da mulher negra dentro do escopo feminista não é uníssona. A pluralidade de sujeitas do feminismo ainda gera inevitáveis embates e falta de empatia dentro dos movimentos feministas. Contudo, é preciso entender que os movimentos de entrada das mulheres trans no feminismo têm, por objetivo, promover a coalizão, e não a divisão.

Ainda precisamos aprender muito sobre a luta coletiva como mulheres. Audre Lorde (2019, p. 247), feminista negra caribenha e lésbica, nos alerta:

> Agora precisamos reconhecer diferenças entre mulheres que são nossas iguais, nem inferiores, nem superiores, e encontrar maneiras de usar a diferença para enriquecer nossas visões e nossas lutas. O futuro de nossa terra depende da capacidade de todas as mulheres em identificar e desenvolver novas definições de poder e novos modelos de convivência com a diferença.

As tensões fazem parte dos movimentos sociais, bem como as divergências teóricas, contudo, como nos lembra bell hooks (2018), a sororidade ainda é uma arma poderosa. Por isso, evidencio que precisamos entender as singularidades, as lutas e as demandas umas das outras. As várias perspectivas feministas, com exceção do feminismo radical, formam uma rede articulada de produção de saberes e resistências, resultado da tentativa de pulverização da concepção de mulher como sujeita universal do feminismo.

É preciso entender que a diversidade não precisa nos dividir, nem criar hierarquias. Na verdade, esse modo de pensar constitui uma astuta estratégia usada desde a colonização, a de dividir, classificar, hierarquizar e governar. O homem colonizador cis, ocidental, branco, cristão e heterossexual se entendeu como universal, transformou suas singularidades em padrões universais e subjugou as demais identidades. Audre Lorde (2013) convida-nos a pensar que é uma arrogância supor qualquer discussão sobre teoria feminista sem examinar nossas muitas diferenças. Como mulheres, somos educadas a olhar para nossas diferenças como algo que nos separa. Por isso, afirma que é imperioso matar em nós o opressor. Usar as ferramentas do opressor de hierarquizar diferenças ratifica a sociedade normativa.

Precisamos pensar de outro modo: entender que as diferenças nos oferecem formas ímpares de sentir e viver o mundo e nos fortalecem. Lorde (2003) convoca-nos a construir uma comunidade a partir das nossas diferenças – é nisso que consiste o feminismo, uma comunidade de acolhimento e potencial político pensada a partir de nossas múltiplas performances de mulheridades e feminilidades. Butler (2017) nos alerta sobre os riscos de um consenso a qualquer preço. Dialogar é preciso, e as divergências existem. Afinal, ocupamos diferentes lugares de poder dentro dos espaços sociais que determinarão nossas possibilidades de diálogo. Por isso, a noção de lugar de fala, como definido por Djamila Ribeiro (2019), parece-me tão cara. As mulheridades e as feminilidades precisam falar de suas existências, e, em contrapartida, devemos supor que outras mulheres precisam ouvir.

É necessário pensar, como nos sugerem Larrosa e Skliar (2011) em *Habitantes de Babel*, sobre os riscos das unanimidades e das totalidades. Se fraturarmos o feminismo para fazer florescer a diversidade entre nós, não podemos esperar agora que todas nós falemos a mesma língua. Ao contrário, precisamos pensar uma comunidade feminista discordante consigo mesma. É preciso pensar a mulher em sua incompletude, como propõe Butler (2017); pensar inclusive que não somos mulheres e travestis em primeiro, para depois sermos negras, indígenas, deficientes etc. É preciso pensar em superar a lógica que põe a mulher como sujeita ontológica central de qualquer discurso que façamos sobre nós. Embora, para muitas de nós, a afirmação "Eu sou mulher" seja transgressora, temos de pensar nas muitas marcas que nos tornam quem somos de modo interseccional, sem uma perspectiva hierárquica e essencial.

Somos incompletas, pois performamos a diferença. Sendo seres incompletos, precisamos, como nos ensina o educador brasileiro Paulo Freire (1987), persistir continuamente nas aprendizagens. Um diálogo autêntico deve nos conduzir ao respeito às diferenças. Dessa forma, pluralizar as sujeitas do feminismo é um reconhecimento e valorização das diferenças entre nós mulheres, travestis e além.

É preciso insistir na possibilidade de que, a partir de nossas *outreridades*, de nossas diferenças, possamos construir uma irmandade, sermos *outsiders* à cis-heteronormatividade e *sisters* dentro do feminismo. Contudo, conforme nos alerta Audre Lorde (2019, p. 241), "existe a falsa aparência de uma homogeneidade de experiência sob a capa da palavra irmandade que de fato não existe". A verdade é que, apesar de bandeiras erguidas com punho forte por feministas de que o feminismo é para todas, nós, mulheres transexuais e travestis, ainda somos *no sisters*, não somos irmãs. Seguimos apostando no transfeminismo, na possibilidade de sermos *sisters*, e a possibilidade dessa realização perpassa pela crítica concisa sobre as relações entre sexo e gênero e a desnaturalização da categoria mulher, objetivos comuns entre o feminismo e o transfeminismo. Portanto, partamos agora para a compreensão do que constitui o transfeminismo.

TRANSFEMINISMO:
TENSIONANDO FEMINISMOS E ALÉM

Entendo que, talvez, para muitas leitoras, o transfeminismo deveria ser o primeiro conceito abordado nesta obra. Contudo, decidi seguir linhas de raciocínio diferentes – além disso, pistas sobre tal definição já foram dadas. Nas próximas páginas, retomarei alguns pontos já apresentados. A primeira coisa a se destacar, mais uma vez, é que o transfeminismo é uma corrente teórica e política vinculada ao feminismo, que se divide em variadas correntes exatamente pela compreensão, de certo modo comum, de que é impossível permanecer insistindo em mulher, no singular, numa condição universalizante, como sujeita única do feminismo. É preciso localizar as sujeitas, de modo a favorecer a dimensão plural de nossas existências.

Nesse sentido, é importante apontar, como destaca a filósofa estadunidense Sandra Harding

(2019, p. 99), a instabilidade das categorias analíticas dentro do feminismo:

> Não passa de um delírio imaginar que o feminismo chegue a uma teoria perfeita, a um paradigma de "ciência normal" com pressupostos conceituais e metodológicos aceitos por todas as correntes. As categorias analíticas devem ser instáveis — teorias coerentes e consistentes em um mundo instável e incoerente são obstáculos tanto ao conhecimento quanto às práticas sociais.

Como feministas, precisamos começar a aproveitar as dissonâncias como táticas para produzir epistemologias rumo à problematização das realidades sociais nas quais estamos inseridas. É valer-se, portanto, das divergências como oportunidades de compreender contextos que são alheios aos modos de opressão aos quais um determinado grupo está submetido. Muito se tem insistido em procurar pontos em comuns entre os feminismos, mas também precisamos entender que aprendemos principalmente com as diferenças.

Recordo-me da primeira vez que li um texto de Monique Wittig (2019) e percebi o modo como as lésbicas compreendiam suas vivências dentro do campo feminista e a necessidade de questionar a heterossexualidade como regime de verdade intrínseco às opressões de gênero. Sobre o mundo lésbico, lembro-me também quanto fiquei viciada, ainda na graduação, na série *The L Word*, que maratonei de modo voraz. De fato, essa produção mudou completamente minha forma de perceber as amigas lésbicas.

Enquanto mulheres, precisamos passar a ampliar a rede de diálogos umas com as outras, percebendo nossas singularidades plurais não de modo exótico ou invasivo. Digo isso pois não é educado nem respeitoso, a pretexto de curiosidade ou de aproximação com o transfeminismo, encher-nos de perguntas sobre nossos genitais, sobre "o antes e o depois", sobre nossas preferências sexuais e outras questões que realmente não são pertinentes. Essas práticas ao estilo Discovery Channel são dispensáveis, pois se deve evitar tamanho constrangimento.

O que sugiro para outras mulheres – para outras pessoas, sendo mais abrangente – que desejam se aproximar do transfeminismo é que comecem a ler nossas produções. É importante reconhecer, valorizar e divulgar que nós, mulheres transexuais e travestis, somos produtoras de epistemologias. Não somos exemplos exóticos de dissidência de gênero prontos para serem investigados por pesquisadores e demais curiosos de modo geral. Afinal, é nisso que o transfeminismo consiste primariamente: um movimento epistêmico e político feito por e para mulheres transexuais e travestis.

Podemos compreender que o transfeminismo implica pensar o feminismo a partir das experiências de travestis e mulheres trans. Hailey Kaas (2015) alerta para o fato de que, historicamente, o feminismo, por meio de discursos transfóbicos e sexistas, excluíam mulheres transexuais e travestis, abstendo-se, na maioria das vezes, de produzir qualquer tipo de conhecimento sobre nossas existências, sob a suposição de que nós somos, na "verdade", homens. Por essa razão, o transfeminismo passou a produzir saberes feministas localizados socialmente, por e para mulheres transexuais e travestis, e se constituiu como uma corrente dentro do feminismo, para que pensemos nossas epistemologias e atuemos politicamente dentro dele.

Jaqueline Gomes de Jesus e Hailey Alves (2012, p. 14), ao apresentarem o transfeminismo, enfatizam a relação entre teoria e prática:

> O feminismo transgênero pode ser compreendido tanto como uma filosofia quanto como uma práxis acerca das identidades transgêneras que visa a transformação dos feminismos.

Nessa perspectiva, urge ressaltar que os feminismos, ao mesmo tempo que consistem em lutas políticas organizadas com a garantia de direitos como pautas, também constituem historicamente uma densa rede de produções epistemológicas sobre as opressões de gênero vivenciadas socialmente.

Para Kaas (2015), as mulheres transexuais e travestis e as pessoas trans*, de modo geral, tinham um forte descontentamento em relação ao lugar marginal que ocupavam na construção das políticas LGBTQIA+, que historicamente privilegiam as questões em torno do homem gay, branco, de classe média, magro e sem deficiências. Na época, as políticas de representatividade LGBTQIA+ eram precárias ou inexistentes para as pessoas trans* e travestis. Além disso, Helena Vieira (2018) destaca que as questões de gays e lésbicas estão pautadas na orientação sexual, ao passo que as demandas das pessoas trans* se voltam para as questões de gênero. Essa dissonância também contribui para a marginalização do segmento trans* dentro dos movimentos LGBTQIA+.

Cabe ressaltar que, apesar do descaso com as demandas específicas da população trans*, os movimentos LGBTQIA+ seguem contando com a participação de homens e mulheres transexuais e travestis. Desse modo, a criação do transfeminismo surge como a concepção de outra linha de batalha para atuar contra o sexismo e a transfobia e pautar políticas específicas de reconhecimento do segmento trans*. A proposta é de coalizão estratégica, não de fragmentação.

Kaas (2015) também assinala que, ao contrário dos movimentos LGBTQIA+, os movimentos feministas passaram a pautar uma política de empoderamento das mulheres cis, colocando-as no centro da luta – modelo de organização bastante útil para as pautas das pessoas trans*, que reivindicavam políticas de reconhecimento de suas identidades de gênero.

Na prática, os movimentos transfeministas passaram a reconhecer e a valorizar a produção de conhecimentos e mobilização política de travestis e mulheres trans como tática de resistência, a exemplo do que o feminismo também historicamente se propôs. Por isso, as mulheres transexuais e travestis iniciaram um processo para dentro do feminismo, que, no caso brasileiro, de acordo com pesquisador brasileiro Thiago Coacci (2014), aconteceu no início do século 21, por ocasião do 10º Encontro Feminista Latino-Americano e do Caribe, realizado no Brasil em 2005.

Em seu relato, Coacci (2014) registra que, no período que antecedeu o evento, a tensão já havia se instaurado, pois os movimentos trans* enviaram uma carta solicitando participarem dele. O pedido foi negado; contudo, na plenária final, a comissão organizadora colocou em votação se mulheres transexuais e travestis poderiam ou não participar das futuras edições. Nos dias do evento anteriores à plenária, houve conversas acirradas em muitos espaços. Durante a plenária, as pessoas desfavoráveis se referiram às mulheres transexuais e travestis no masculino; já as favoráveis empregaram, de forma adequada, o feminino. A decisão acabou acontecendo sem a presença das mulheres transexuais e travestis, e o resultado foi favorável à participação delas no futuro.

É evidente que a tensão ocorrida traz à tona a questão de quem poderia ser sujeita do feminismo. A decisão favorável, de certa maneira, legitima a compreensão de que mulheres transexuais e travestis podem ser sujeitas do feminismo, ao serem reconhecidas em suas mulheridades e/ou feminilidades. Contudo, é evidente que essa participação está longe de ser consenso. Discursos transexcludentes ainda circulam violentamente nas redes sociais, em publicações e em debates. Kaas (2015) assinala que essa falta de acolhida inicial no feminismo e a falta de empatia histórica dos movimentos LGBTQIA+ levaram à construção do transfeminismo. Assim,

> é no bojo do fortalecimento nacional do movimento transgênero, com a paulatina conscientização política da população trans e o reconhecimento da histórica resistência das pessoas transgêneras brasileiras, em especial as travestis, e da aproximação efetiva desse

movimento com o feminismo teórico e prático, que se começa a adotar o conceito de "feminismo transgênero" ou "transfeminismo". (JESUS; ALVES, 2012, p. 14)

Ainda em busca dessas raízes do transfeminismo no Brasil, Jaqueline Gomes de Jesus (2013) enfatiza que a internet foi, e ainda é, um campo primordial dos debates transfeministas. Podemos citar, por exemplo, a comunidade Transfeminismo no Facebook, que também é um blog homônimo, ambos criados e administrados por Beatriz Bagagli, Hailey Kaas, Viviane Vergueiro Simakawa, Nicholas Athayde-Rizzaro e Luc Athayde-Rizzaro. Ainda no âmbito virtual, destaca-se, de modo mais recente, o espaço concedido aos debates transfeministas nas páginas Blogueiras Feministas e Blogueiras Negras, além do uso que muitas mulheres transexuais e travestis fazem da plataforma digital Medium.

A esfera virtual é um importante dispositivo de propagação das ideias transfeministas, como ilustra o relato a seguir de Leda Ferreira (2013):

> Felizmente, entrei em contato com pessoas trans* na internet que me ajudaram a superar isso. O pessoal do Transfeminismo. Aprendi muita coisa com eles. A principal coisa que aprendi, e que me ajudou muito, foi a noção de que TODOS OS CORPOS TRANS* SÃO LINDOS. A noção de *body-positive* (corpo-positivo),

adaptada para a realidade das pessoas transgêneras. A ideia de que o que faz um homem ou uma mulher não é exclusivamente sua anatomia.

Essas palavras trazem beleza e força para as produções de mulheres transexuais e travestis de diferentes modos. Primeiro pela sororidade enquanto tática feminista de apoio e resistências coletivas. Com dúvidas em relação ao seu corpo, Leda acha apoio em uma comunidade virtual, em que encontra acolhimento e aprendizado. Em segundo lugar, o relato mostra a produção e circulação de saberes: Leda, a partir de suas aprendizagens, escreve um texto, publicado na própria página Transfeminismo, no Facebook ou no blog, no qual sintetiza, de modo encarnado, suas experiências de emancipação e autodefinição como mulher trans.

A internet possibilita a amplificação das vozes transfeministas em um espaço de sororidade que salva vidas. Para Coacci (2014), a partir da década de 1980, os movimentos feministas passaram a abandonar progressivamente a política de representação e começaram a priorizar a prática de "falar por si mesma", tática rapidamente incorporada pelas transfeministas. É útil recordar também um lema bastante associado ao feminismo: "O pessoal é político", que assinala que as vivências subjetivas de mulheres se relacionam com as questões sociais, com as relações de poder.

Conforme afirma Piscitelli (2002), considerar o pessoal como algo político permitiu o mapeamento, ou seja, a produção de pesquisas e estudos variados de como a vida das mulheres e as violações experienciadas em seus cotidianos não são de foro íntimo. Esse avanço ocorre mesmo que o slogan tenha inicialmente se focado na caracterização de como as mulheres vivem a dominação masculina em contextos domésticos, associada à ideia do feminismo radical de que as mulheres são universalmente oprimidas pelo patriarcado.

A ideia de que o pessoal é político ainda repercute no feminismo, de modo a evidenciar que, sim, a opressão é experimentada por nós, mulheres cis, trans e travestis, mas de formas díspares, e não apenas em uma relação com a dominação masculina. Não podemos nos esquecer dos ensinamentos de Michel Foucault (1988) ao afirmar que o poder é pulverizado em nossas relações. Perceber o pessoal como político requer deslocar-se de ideias universalistas e essencialistas, compreender *in loco* como operam as diversas opressões das sujeitas que reivindicam seu lugar dentro do feminismo, em suas mulheridades e/ou feminilidades.

Se o pessoal é político, podemos nós, mulheres trans negras, falar de nossas existências de modo a questionar as ordens racistas, sexistas e imperialistas que ordenam o mundo? Gayatri Spivak (2010) questiona: pode o subalterno falar? Já Lélia Gonzalez

(1984) afirma: "O lixo vai falar, e numa boa." Abrir nossas experiências pessoais é doloroso, mas é um processo poderoso de denúncia das violências vivenciadas pelas sujeitas do feminismo. Audre Lorde (2019) enfatiza que o silêncio não faz com que a dor desapareça; por isso, como feministas, insistimos em romper com os círculos silenciosos de nossas opressões. Como cantam MC Carol e Karol Conká na música "100% feminista" (2016): "Me ensinaram que éramos insuficientes/Discordei, pra ser ouvida o grito tem que ser potente."

Djamila Ribeiro (2019), em *O que é lugar de fala?*, e Spivak (2010), em *Pode o subalterno falar?*, possibilitam-nos entender que as categorias subalternas como mulheres negras e mulheres trans, mulheres do sul global, entre outras, sofrem com um histórico processo de silenciamento dentro da normatização hegemônica de raça-gênero-classe. Para Ribeiro (2019), a ausência do lugar de fala não é apenas a perda do direito à palavra, mas, sobretudo, o lugar marginal que nossa existência ocupa dentro da hierarquização social das diferenças.

Nesse sentido, como transfeministas, e feministas por extensão, devemos nos apropriar da fala, da escrita, da linguagem, rachar o mundo com nossas palavras, construindo pontes de sororidade e redes de denúncia. Quanto mais lemos, ouvimos e compartilhamos nossas histórias, mais proporcionamos um cruzamento potente de vozes, que nos permite uma autoidentificação potente e rompe com o nosso silenciamento, perpassando por um reconhecimento coletivo de nossas experiências.

Acredito que essas escrevivências, como aborda Conceição Evaristo (2005), têm o poder de nos atravessar de modo singular e coletivo. Entendo que histórias nossas se misturam com histórias outras. Nosso lugar de fala é ampliado quando escutamos umas às outras. É nessa perspectiva, que, por exemplo, ao construir um texto acadêmico sobre o brutal assassinato da mulher travesti Dandara, a autora Sara Wagner Gonçalves Jr. (2018, p. 1) não se furta ao direito de contar sua história como

> mulher, pai, avó, ex-moradora de rua, latina, professora de inglês, instrutora de teatro, pedagoga, mestra em educação e residente em uma região com um viés cristão fundamentalista.

As histórias de Dandara se misturam com as de Sara Wagner, que se misturam com as minhas; assim, o tecido da resistência é entrelaçado ao rompermos com os silêncios normativos.

É imperioso entender nossas lutas como mulheres de modo compartilhado. O transfeminismo é, assim como o feminismo negro, a busca de uma voz coletiva na qual possamos expressar nossas mulheridades/feminilidades, como evidencia Patricia Hill Collins (2019). Um compartilhamento, que deve acontecer de modo articulado, com as nossas interseccionalidades raciais, etárias, de localização geográfica, de classe, entre outras. Desde o início de minha vivência como mulher travesti, comecei a perceber, pelos encontros virtuais e presenciais, o quanto esse espaço de autodefinição é importante. Passei a compreender que minhas dores não são só minhas, que minhas lutas não são só minhas; perceber-me como singular, mas também como coletivo.

Assim, o transfeminismo é um espaço compartilhado com/por/para mulheres transexuais e travestis, que, para se constituir, orienta-se por alguns princípios, assinalados por Jaqueline Gomes de Jesus (2013, p. 5):

> (1) redefinição da equiparação entre gênero e biologia; (2) reiteração do caráter interacional das opressões; (3) reconhecimento da história de lutas das travestis e das mulheres transexuais e das experiências pessoais da população transgênera de forma geral como elementos fundamentais para o entendimento do feminismo; e (4) validação das contribuições de quaisquer pessoas, sejam elas transgêneras ou cisgêneras, o que leva ao fato de que, por sua constituição, o transfeminismo pode ser útil para qualquer pessoa que não se enquadra no modelo sexista de sociedade que vivemos, não apenas as transgêneras.

No que tange ao primeiro princípio, a equiparação entre gênero e biologia, talvez seja essa a contribuição mais incisiva ao feminismo que o transfeminismo, ligado à teoria *queer* e às teorias pós-estruturalistas, possa oferecer. Ela consiste na crítica à compulsoriedade de que o sexo, supostamente biológico, determinaria irrevogavelmente o gênero, numa perspectiva cultural. É a partir dessas problematizações e relações teóricas que o conceito de cisgeneridade será formulado, possibilitando epistemologicamente condições para o reconhecimento das mulheridades, feminilidades e travestigeneridades diversas como sujeitas do feminismo. Tanto a ideia de cisgeneridade quanto a de cissexismo serão abordadas no próximo capítulo.

O segundo princípio aborda a reiteração do caráter interacional das opressões. Nesse sentido, o transfeminismo dialoga com o feminismo negro, o feminismo interseccional e o feminismo decolonial, entendendo a necessidade de compreender as opressões em suas correlações estruturais. As opressões de gênero se interceptam com os preconceitos e discriminações de raça/etnia, classe, orientação sexual, localização geográfica, origem, idade, religião, gordofobia, capacitismo, entre outras. A ciborgue feminista Donna Haraway (1995) insiste na necessidade de o feminismo considerar que as nossas produções de conhecimentos são marcadas. Compreendo que localizar esses saberes é fazer aflorar nossas multiplicidades heterogêneas.

Para a promoção dessa análise interacional das opressões, é bastante útil o conceito de interseccionalidade, que foi concebido originalmente pela pensadora negra estadunidense Kimberlé Crenshaw. Conforme apresenta Carla Akotirene (2019), trata-se de um paradigma teórico e metodológico da tradição feminista negra que denuncia o modo estrutural pelo qual as mulheres negras são submetidas às violências do sexismo e do racismo. Inicialmente usado no campo jurídico, o conceito se desloca mais tarde dentro do feminismo. Seu intuito é pensar, além de uma política de fragmentação das identidades, o modo como o CIStema colonial moderno produz uma interação estrutural com efeitos políticos e legais no governamento necropolítico das nossas corpas subalternas.

A partir do conceito de interseccionalidade, é necessário refletir não apenas que, como mulheres transexuais e travestis, possuímos múltiplos recortes identitários. Também é preciso observar que esses marcadores ampliam nossas vulnerabilidades sociais, e que as políticas públicas para a superação de nossas opressões precisam ser pensadas de modo articulado e localizado. Por exemplo, é comum apresentarmos, de modo vago, que mulheres transexuais e travestis têm expectativa de vida de trinta e cinco anos. Contudo, com o recorte racial, a expectativa permanece a mesma? E sobre as questões de classe e escolaridade? A Associação Nacional de Travestis e Transexuais (Antra) tem produzido dados sobre o que a população trans* sofre no Brasil levando em conta a interseccionalidade; afinal, é imprescindível que aprendamos mais umas sobre as outras, de modo a ressaltar nossas diferenças.

Além disso, conforme afirma Bruna Benevides (2019), travesti sargenta da Marinha brasileira, compreendo que, apesar de o conceito de interseccionalidade ser amplamente utilizado pelo discurso acadêmico, na prática, nós, mulheres transexuais e travestis, ainda somos invisibilizadas. No âmbito acadêmico, quantas feministas citam experiências e produções de mulheres transexuais e travestis? Em quantos espaços e eventos acadêmicos, sobre gênero ou não, as mulheres transexuais e travestis circulam e são convidadas para falar como agentes epistemológicas, e não apenas como relatos de experiência?

Na mesma perspectiva, a travesti nordestina Yuna Silva (2019) assinala que parte dos pesquisadores continua produzindo saberes "sobre nós", e mesmo os que se preocupam em produzir "conosco" ainda usam uma bibliografia ciscentrada, que despreza os saberes produzidos por corpos trans*. Devo denunciar essas posturas científicas, e também as militantes, como antiéticas e promotoras de epistemicídios. Afinal, aplicar o conceito de interseccionalidade requer reconhecer o lugar de fala das mulheres transexuais e travestis e suas produções epistemológicas.

Em outro aspecto, é preciso que os discursos sobre interseccionalidade se materializem em políticas de coalizão, pois, dentro dos espaços sociais e políticos, ainda não temos representatividade garantida. Onde estão as mulheres transexuais e travestis nas manifestações de 8 de março? Nos debates sobre saúde, segurança e educação? A interseccionalidade demanda que pensemos de modo articulado a integração de nossas opressões; por isso, é necessário que as mulheres transexuais e travestis estejam de fato nesses processos ativamente. Não há possibilidade de exercício de *sisterhood* (sororidade) sem reconhecimento recíproco e participação mútua.

Portanto, se, de um lado, os discursos sobre interseccionalidade sinalizam a necessidade de perceber as múltiplas opressões vividas dentro do feminismo, por outro, nós, mulheres transexuais e travestis, ainda somos tratadas com o status de *outsider within*, como descreve Patricia Hill Collins (2016) ao falar sobre as percepções das feministas brancas em relação às feministas negras. Nesse caso, mesmo as feministas que professam um discurso transinclusivo acabam marginalizando nosso papel político e epistemológico dentro do feminismo – muitas sequer entendem as dimensões envolvidas nas demandas que apresentamos. A partir dessas tensões, nossa permanência nos movimentos feministas é o que Collins (2016) denomina "potencial criativo", permitindo alargamentos das experiências dentro do feminismo, de modo a fazer circular discursos sobre mulheres transexuais e travestis que, muitas vezes, fogem ao quadro de percepção das demais feministas.

Passando para o terceiro princípio que orienta o transativismo, é importante reconhecer a história de lutas das mulheres transexuais e travestis, bem como de nossas experiências pessoais, como elementos fundamentais para o entendimento do feminismo. Afinal, foi a partir do processo de auto-organização política que as mulheres transexuais e travestis passaram a pautar suas demandas políticas e epistemologias dentro do feminismo. É preciso reconhecer que essa adesão possibilita um fortalecimento no enfrentamento do machismo e do sexismo.

Ainda é necessário engendrar esforços para a visibilização das narrativas que compõem a história dos movimentos de mulheres transexuais e travestis no Brasil e no mundo, e também dessas personagens que heroicamente desafiaram – e algumas desafiam até hoje – o CIStema colonial moderno de gênero, tais como Keila

Simpson, Jovanna Baby, Brenda Lee, Janaína Dutra, Indianarae Siqueira, Kátia Tapety, Claudia Wonder, Jacqueline Brazil, Elza Lobão, Beatriz Senegal, Thina Rodrigues, Thelma Lipp, entre outras.

As disputas de gênero, rupturas e violências sofridas pelas mulheres transexuais e travestis estão presentes no decorrer da história brasileira, no entanto, com memórias apagadas, vozes esquecidas, poucos registros históricos e escasso reconhecimento. É importante trazer à tona histórias como a de Xica Manicongo, como nos relata Jaqueline Gomes de Jesus (2019). Escravizada e trazida do Congo para ser vendida a um sapateiro no século 16, enfrentou o Tribunal do Santo Ofício e foi obrigada a vestir-se com roupas masculinas para preservar a própria vida. Afinal, o sistema colonial de gênero não reconhecia dissidências de gênero, forçando-a a comportar-se dentro dos limites de sua suposta natureza masculina.

O mesmo trabalho de resgate histórico faz a travesti negra brasileira Megg Rayara de Oliveira (2017), que, em sua tese de doutoramento, traz, além dos relatos de Xica Manicongo, personagens como Yaya Mariquinhas, que, no século 19, entre os anos 1860 e 1870, questionou o sistema binário de gênero que a determinava como homem negro. Em uma atitude insurgente, Yaya usava trajes ditos femininos para a época, além de reivindicar um tratamento no feminino.

Tanto a história de Xica Manicongo como a de Yaya Mariquinhas trazem tensões que o transfeminismo propõe contemporaneamente, sobre reposicionar a relação entre gênero e sexo sem uma suposta equivalência e, principalmente, sem a cisão antagônica entre natureza e cultura. O reconhecimento dessas histórias fortalece as lutas de mulheres transexuais e travestis de modo ancestral: Xica Manicongo vive! Yaya Mariquinhas vive! A luta contra o CIStema colonial moderno de gênero persiste, denunciando as violências brutais por meio das quais nós, dissidentes de gênero, somos destituídas de uma dimensão humana.

Cabe ressaltar a importância de se reconhecer o pioneirismo das lutas de mulheres transexuais e travestis brasileiras na América Latina. O documentário *Jovanna Baby: uma trajetória do Movimento de Travestis e Trans no Brasil*, produzido pelo Grupo Arco-Íris e pelo Centro de Memória LGBTI João Antônio Mascarenhas e dirigido por Cláudio Nascimento e Marcio Caetano, traz os relatos de Jovanna Baby, travesti negra e nordestina que, com outras companheiras, fundou a Associação de Travestis e Liberados (Astral) em 1992, a primeira organização oficialmente registrada de defesa dos direitos específicos da população trans*. Megg Rayara de Oliveira (2018) nos relata que já existiam grupos gays no Brasil antes da década de 1990, como o Grupo Somos, fundado em 1978 em São Paulo, mas que, em uma atitude excludente, proibiu a participação de gays afeminados e travestis. A postura do grupo se alinhava com a política eugenista empreendida pela ditadura civil-militar.

Para a educadora travesti Megg Rayara (2018), tal exclusão e/ou apagamento das mulheres transexuais e travestis também aconteceu nos movimentos estadunidenses, considerados um marco mundial para a militância LGBTQIA+. A Revolta de Stonewall teve, desde o início, a participação efetiva de Marsha P. Johnson, travesti negra, e Sylvia Rivera, travesti de origem porto-riquenha. Após o levante, ambas continuaram fortalecendo os movimentos, que passaram a contar majoritariamente com a participação de homens gays brancos que centralizaram as pautas em torno de seus interesses, daí a denominação "movimento gay".

As mulheres transexuais e travestis sempre tiveram de lutar para serem aceitas, mesmo em espaços sociais de reinvindicação, o que estabeleceu disputas para o exercício de seu protagonismo. Foi assim que, no início da década de 1990, segundo Jovanna Baby Silva (2018), ela própria, Elza Lobão, Josy Silva, Beatriz Senegal, Monique Du Bavieur e Claudia Pierry France fundaram a Astral. O descontentamento com o Movimento Homossexual Brasileiro (MHB) era enorme e, por isso, além de se organizarem institucionalmente, as mulheres transexuais e travestis da Astral passaram a organizar o Encontro

Nacional de Travestis e Liberados (ENTLAIDS), com a primeira edição no Rio de Janeiro, em 1993.

Nessa perspectiva, as mulheres transexuais e travestis da Astral envolveram os chamados "liberados" no movimento – homens gays e transformistas que se "montavam" para se prostituir. É importante ressaltar que tanto a prostituição como a aids foram pano de fundo da mobilização política que originou os movimentos trans* organizados no Brasil. Assim, esse terceiro princípio de reconhecimento da história de lutas das mulheres transexuais e travestis fortalece a luta numa perspectiva ancestral.

Por fim, o quarto princípio que orienta o transativismo prevê que, dentro do transfeminismo, haja a validação das contribuições de quaisquer pessoas, sejam elas transgêneras ou cisgêneras. Desse modo, o transfeminismo pode ser útil para quaisquer pessoas que não se sintam pertencidas ao modelo sexista socialmente vigente, e não apenas às transgêneras. Esse é um ponto importante dentro do transfeminismo. Apesar de, em minha abordagem, referir-me de modo específico ao transfeminismo pensado por mulheres transexuais e travestis, o movimento teórico e político transfeminista é aberto às produções de outros sujeitos que não se reivindicam nem na categoria de mulheridades, historicamente sujeitas do feminismo, nem dentro das transgeneridades e travestilidades.

> O transfeminismo reconhece a interseção entre as variadas identidades e identificações dos sujeitos e o caráter de opressão sobre corpos que não estejam conforme os ideais racistas e sexistas da sociedade, de modo que busca empoderar os corpos das pessoas como eles são (incluindo as trans), idealizados ou não, deficientes ou não, independentemente de intervenções de qualquer natureza; ele também busca empoderar todas as expressões sexuais das pessoas transgêneras, sejam elas assexuais, bissexuais, heterossexuais, homossexuais ou com qualquer outra identidade sexual possível. (JESUS; ALVES, 2012, p. 15)

Nessa perspectiva abrangente, acredito que o transfeminismo busca ter pessoas que engendrem esforços teóricos e políticos como aliados, em uma práxis revolucionária de combate ao sexismo, principalmente a ação estratégica contra a ideia de que só podem existir dois gêneros apoiados no dimorfismo sexual, na qual o CIStema colonial de gênero se alicerça. A feminista asiática, com deficiência, intersexo e lésbica Emi Koyama (2003, p. 244) advoga que

> transfeminismo é primeiramente um movimento de e para mulheres trans que veem sua libertação como intrinsecamente ligada à libertação de todas as mulheres e além.

Logo, a luta transfeminista está para além de mulheres transexuais e travestis. Esses princípios básicos articuladores apresentados não são os únicos. Assim como os feminismos são plurais, o transfeminismo também não constitui uma única possibilidade de pensamento. Contudo, acredito que tais princípios possibilitam uma coerência epistêmica e política, capaz de garantir uma coalizão estratégica com os demais feminismos dispostos a dialogar de modo interseccional sobre as maneiras como vivemos nossas opressões de gênero, sem a crença em um determinismo biológico.

A partir dos princípios apresentados, Hailey Kaas (2012; 2015) nos inspira a pensar uma agenda política diversa, com demandas sociais bastante urgentes, para a população de mulheres transexuais e travestis, que sintetizo nos seguinte pontos: (1) poder de agência/autodefinição; (2) cisgeneridade como estratégia de nomeação dos corpos não trans*; (3) despatologização das identidades trans* e travestis; (4) *body-positive (corpo positivo):* empoderamento das múltiplas corporalidades trans* e travestis; (5) enfrentamento da transfobia e do transfeminicídio; (6) direito à saúde. Decerto existem outras demandas; essas, porém, são as que pretendo abordar de forma mais incisiva na agenda política que será detalhada nos próximos capítulos.

CISGENERIDADE, DESPATOLOGIZAÇÃO E AUTODETERMINAÇÃO: NÓS POR NÓS MESMAS!

Sem dúvida, o conceito de cisgeneridade ocupa um lugar central nas produções transfeministas. Sua urgência é necessária como alternativa de definição dos corpos não trans* sem a recorrência à suposta matriz original da qual todas nós seríamos desdobramentos subalternos. Para isso, preciso retomar a ideia já apresentada de *outreridades*, segundo a qual o nosso posicionamento como *outras* requer a fixação de um sujeito com uma identidade naturalmente constituída de privilégios, pré-discursiva e não marcada culturalmente, pois é pura e neutra. Bem, por certo essa identidade inexiste; entretanto, no decorrer da história, um imenso aparato discursivo jurídico, médico, político, religioso e educativo tentou instituir o padrão hegemônico do homem branco, cristão, heterossexual, burguês, sem deficiências e magro como medida para todas as outras "coisas".

A noção de tecnologia como sugerida por Foucault nos leva a compreender que os sujeitos produzem a si mesmos por meio de relações de poder específicas. Não existe sujeito absoluto, autônomo, soberano e universal como vão preconizar os discursos da modernidade ocidental – todo sujeito é localizado. Certamente, a soberania incontestável do homem branco, cristão, heterossexual, burguês, sem deficiências e magro só se fez possível por meio da colonização de outras identidades. Não há dúvida de que todos esses marcadores de sexo, gênero, raça/etnia, religião, orientação sexual, classe e quaisquer outros trazem uma história; não se constituem à revelia dos processos culturais e políticos.

Descortinar essas relações de produção de hierarquias sociais tem sido um efeito constante de movimentos sociais diversos no que tange às produções feministas, foco desta análise. Beauvoir (1970) destaca que a mulher é o *Outro* do homem, sujeito absoluto; ela é seu oposto inferior, um não ser para si. Se Beauvoir destacou que a mulher se torna mulher em vez de cumprir um destino irremediável ditado pelo seu sexo anatômico, é preciso compreender que o homem também se torna homem; ambos fazem seus gêneros por meio de práticas discursivas diversas situadas em relações de poder específicas.

O conceito de gênero conforme assinalam Rubin (1993), Scott (1995) e Saffioti (1999) faz essa distinção entre sexo e gênero, porém a correlação não é rompida. A biologia permanece inalterada como essência pré-discursiva de nossos corpos, fazendo emergir gênero como categoria cultural e histórica forjada por meio das relações de poder. A partir de produções pós-estruturalistas e da teorização *queer*, essas fronteiras entre sexo e gênero puderam ser redesenhadas. Para Butler (2017), gênero é o dispositivo que produz "a natureza sexuada" anterior à cultura, em sua suposta neutralidade e essência. A distinção entre sexo e gênero, nesse caso, é nula.

Portanto, são as relações de poder que vão determinar uma verdade sobre um corpo sexuado, fixando a diferenciação sexual binária como uma condição anterior à fabricação do gênero. Deflagrar esses modos de produção nos leva à compreensão de que o sexo também é discursivo, cultural e histórico, assim como o gênero, e principalmente que o gênero é o próprio dispositivo de produção do sexo. O sexo não é anatômico, hormonal, cromossômico, pois essa suposta natureza é discursivamente construída pela cientificidade médica. Os modos como as funções reprodutivas são desenvolvidas são eminentemente culturais, e seu uso como justificativa para o binarismo congruente entre sexo/gênero também é político.

Assim, afirmar que o sexo anatômico, hormonal, cromossômico é algo natural é, na verdade, uma construção discursiva que cria o conceito de sexo. O sexo não é algo natural, pois tanto sexo, como os conceitos de anatômico, hormonal, cromossômico são enunciados discursivos criados a partir de contextos culturais específicos. Caracterizar discursivamente o sexo não é uma mera descrição estática. Longe disso; essa caracterização é a própria produção deste conceito. Do mesmo modo, o uso da ideia de que sexo binário é algo natural atende a determinados interesses, que expõem relações de poder que querem a permanência de hierarquias sexuais e de gênero. Precisamos entender os processos discursivos como criadores da nossa realidade social, como nos ensina Foucault (2012).

Os privilégios resultantes da justaposição de sexo e gênero em uma relação de produção unilateral e natural são precisamente o que o conceito de cisgeneridade busca denunciar de forma enfática. Enquanto os corpos de homens e mulheres cis são reconhecidos e legitimados como naturais, as corporalidades trans* são consideradas artificiais. Nesse caso, é comum que se façam perguntas para pessoas trans* do tipo: "Quando você se tornou mulher?" O espanto desse tipo de pergunta é que ninguém pergunta isso para pessoas cis, pois se supõe que elas tenham construído seus gêneros de forma natural e não artificial. As pessoas cis constroem seus gêneros lado a lado com o sexo, por isso, sobre a origem etimológica da palavra "cisgênero", Bagagli (2015, p. 13) afirma que

> "cisgênero" é uma palavra composta por justaposição do prefixo "cis" ao radical "gênero". O prefixo "cis", de origem latina, significa "posição aquém" ou "ao mesmo lado", fazendo oposição ao prefixo "trans", que significa "posição além" ou "do outro lado". "Cisgênero" estabelece uma relação de antonímia com a palavra "transgênero".

Desse modo, o conceito de cisgeneridade é capaz de estabelecer um paralelo crítico ao das transgeneridades, revelando que, apesar de todos os gêneros passarem por um processo de materialização a partir de práticas discursivas sobre o sexo, os corpos cis gozam de um privilégio capaz de colocá-los em uma condição natural, como sexo/gênero real, verdadeiro, na medida em que as transgeneridades são caracterizadas como uma produção artificial e falseada da realidade cisnormativa. Desse modo, Koyama (2003) justifica que o uso do termo "cisgênero" busca expor o grupo dominante como uma possibilidade de fabricação de gênero, contrariando a ideia de que as pessoas cis são a norma.

O conceito de cisgeneridade convida as pessoas cis a se colocarem diante de um espelho para que mirem a si mesmas e percebam que seus gêneros são tão artificiais e produzidos como os das pessoas trans*. Para Amara Moira Rodovalho (2017), travesti doutora em Crítica literária pela Unicamp, as pessoas que discordam da utilização do termo "cis" são cis na maioria dos casos. Quando pessoas cis perguntam sobre a dimensão construtiva dos gêneros dos corpos trans*, reconhecendo, portanto, que as pessoas trans* criam seus gêneros, não se colocam no mesmo espaço de produção, esquivando-se de assumir suas próprias construções enquanto seres generificados e reiterando, desse modo, a concepção de que possuem um gênero natural.

Essa marcação como natural é exatamente a raiz do problema, pois, enquanto as pessoas cis têm um gênero "normal", as pessoas trans* têm um gênero anormal, patológico, desviante e falso. Os indivíduos cisgêneros se autodeterminam como homens e mulheres de verdade, já que percebem que sua congruência pênis/gênero masculino e vagina/gênero feminino é validada socialmente, sobretudo pelos discursos médico-psiquiátricos, que se constroem a partir da moral, e não de uma neutralidade. De acordo com a psicóloga travesti Céu Cavalcanti (2019), durante o século 20, um forte aparato discursivo médico-psiquiátrico contribuiu para a criação de um paradigma patologizante que enquadrou as pessoas trans* em moldes diagnósticos. O estigma da doença contribuiu para a subalternização das identidades trans*.

Nesse sentido, os corpos trans* são nomeados e classificados dentro do CIStema colonial moderno de gênero como patológicos, desviantes e perversos.

Exercitando nosso potencial criativo advindo de nossa condição subalterna, nós, criaturas trans*, ousamos nomear os nossos criadores cis, conforme corrobora a putafeminista Amara Moira Rodovalho (2017):

> A nomeação daquilo que seria não trans, não nós, surge duma necessidade muito nossa, de percebermos com cada vez mais clareza que a insuficiência daquilo que dizem que somos tem a ver, sobretudo, com a recusa em se situarem, em dizerem quem são, ao falarem de nós, dado que são essas pessoas majoritariamente que falam de nós, por nós: se lhes damos um nome, "cis", é para entender melhor do olhar que primeiro nos concedeu existência, do olhar que, hoje, começa a nos deixar existir.

O conceito de cisgeneridade é uma máquina de guerra discursiva que expõe o modo pelo qual corpos generificados se apropriam do direito de subalternizar outros corpos generificados. A cisgeneridade retira o foco da produção discursiva sobre nós, corpos trans*, e passa a questionar: como os corpos cis construíram o privilégio discursivo de que são naturalmente generificados? Parafraseando Lélia Gonzalez (2019), o lixo toma a palavra, o lixo recusa as definições que lhes foram impostas e passa a questionar o processo de construção da norma. Se nós, corpos trans*, precisamos conferir qualquer tipo de explicação para justificar nossa existência, não me parece justo que outros corpos possam gozar seus gêneros sem justificar-se.

É importante entender que cisgeneridade não é uma marca identitária, não é meramente uma proposta de definição para os corpos não trans*. Mais do que isso, é uma categoria analítica usada pelo transfeminismo para questionar os privilégios dos corpos que se entendem dentro de uma perspectiva naturalizante e essencialista de gênero. A transfeminista Viviane Vergueiro Simakawa (2015, p. 45) propõe que

> (...) a construção analítica de cisgeneridade — um processo discursivamente resistente — é fundamentada sobre a percepção de que conceitos sobre corpos e identidades de gênero são constituídos (não somente, mas necessariamente) a partir de distintos contextos socioculturais — contextos ainda múltiplos, apesar dos projetos, esforços e dispositivos coloniais eugenistas e etnoculturocidas —, e assim esta construção analítica deve ser maleável e abrangente o suficiente para enfrentar criticamente toda epistemologia, metodologia e proposta política-sociocultural colonialista.

O conceito de cisgeneridade coloca em disputa a percepção de que os corpos – de que nenhum corpo, para ser mais específica –, é naturalmente sexuado, ou generificado. Denuncia ainda o modo colonial de produção de nossos gêneros, que vai além de uma assimetria entre os gêneros, como muitas feministas historicamente abordam; o conceito colonial de gênero se ancora numa base bioessencialista de definição das nossas experiências, impondo um padrão exclusivamente binário de correspondência entre sexo (supostamente biológico) e gênero (cultural). Assim, o processo de patologização, criminalização e subalternização das identidades trans* faz parte dos interesses do CIStema colonial moderno de gênero.

O psiquiatra e militante negro Frantz Fanon (2010; 2008) demarca que, na relação entre brancos e negros, os brancos também sofrem de uma psicose que os faz se constituírem como seres superiores, ao passo que destituem os negros de sua humanidade. De modo análogo, entendo que a cisgeneridade confere a si mesma uma condição naturalizada de produção de seus gêneros, entendendo-se como norma, em termos universais. Na verdade, por vezes, o delírio cisgênero é tão assustador que sequer se marcam como corpos generificados, dada a incontestável naturalidade essencial de suas subjetividades.

As pessoas cisgêneras ocultam, mascaram, dissimulam seus processos de produção de gênero, marcando as pessoas trans* como artificiais e em uma perspectiva subalterna de identidade de gênero. Nesses termos, entendo ser urgente, como propõe Viviane Vergueiro

Simakawa (2015), a descolonização das identidades trans*. Para tanto, é necessário que rompamos com a harmonia do silêncio cisgênero: desafinar o coro daqueles que contentemente acreditam que seus gêneros são naturais, afirmando a artificialidade de produção de todas as corporalidades e subjetividades.

É importante agenciar táticas discursivas capazes de desestabilizar as verdades sobre gênero, colocando-o em disputa; por isso, é fundamental a compreensão do conceito de autodeterminação, pois ele desloca as narrativas produzidas sobre pessoas trans* para validar e valorizar as narrativas produzidas por nós. Para Amara Moira Rodovalho (2017), o conceito de autodeterminação, ou ainda autoidentificação, é importante para que possamos "desdemonizar" as pessoas que escolhem cruzar as fronteiras binárias de gênero. Ela aponta para a necessidade de pensar que o processo de se identificar requer interação social, de modo que

> quem se identifica com alguém, mas esse identificar-se não é unilateral, "sua palavra contra a minha", "sua palavra basta". O grupo com que nos identificamos terá que minimamente reconhecer a legitimidade dessa nossa identificação (assim como os demais atores sociais) ou, então, o que temos a dizer sobre nós, sobre o que somos, não terá nenhuma valia. (RODOVALHO, 2017, p. 368)

Portanto, precisamos pensar coletivamente, enquanto corpos trans*, nossas experiências. Para isso, há momentos de partilha em encontros acadêmicos e dos movimentos sociais e encontros em espaços virtuais que promovem trocas. Aquilo que sentimos, vivemos e desejamos passa a circular entre nós, a ser pensado por nós. Só desse modo é possível construir narrativas contra-hegemônicas em relação à cisnormatividade. Considerando a interação social no que tange aos processos de autodeterminação, acredito ser bastante útil retomar o conceito de autodefinição presente no feminismo negro a partir das leituras de Patricia Hill Collins (2019), pois a autodefinição entende a importância de pensar espaços coletivos, e também seguros, para que nossas narrativas possam ser compartilhadas.

Espaços coletivos de partilha e aprendizagem são uma tática dos movimentos feministas também usada dentro do transfeminismo. Para bell hooks (2018), o processo de conscientização feminista revolucionário demanda aprender sobre as nossas opressões. Esses espaços coletivos, além da aprendizagem, promovem, de modo terapêutico, um entendimento de nossas dores e consequente fortalecimento na dimensão tanto pessoal como coletiva. Por isso, o processo de autodeterminação precisa passar por um processo de construção coletiva de nossas identidades trans*, mas não em uma perspectiva normativa e fechada. Precisamos pensar em políticas das multidões, como propõe Paul Preciado (2019), entendendo que gênero é um sistema aberto e que, portanto, pode comportar diferentes desterritorializações em relação ao gênero cisnormativo.

Preciso insistir que o transfeminismo é esse espaço coletivo de afirmação e validação de nossas experiências, de compreensão mútua, conflitos e disputas; um espaço político e epistemológico de entendimento de nossas experiências trans* de um modo não essencialista, patologizante, criminalizante nem subalterno. Um espaço não apenas para pensarmos nossas performances trans*, mas também para entendermos o modo como as pessoas trans* são nomeadas, e, principalmente, o modo com a norma se constituiu como categoria universal.

Nesse sentido, o entendimento de nós se faz na relação com o não nós. Por isso, a autodeterminação se dá em uma relação pessoal, mas também coletiva, e, inclusive, em uma relação com aqueles que, de modo exterior a nossas existências trans*, também fazem parte de nossas construções subjetivas. Tendo em vista que fazemos paródias de gênero, como demarca Butler (2017), entendendo paródia como uma imitação sem origem, muitos dos elementos presentes nas performances cisgêneras também se fazem presentes nas performances trans*. E não apenas por meio da repetição, mas também com ressignificação, já que a produção parodista também pode ser subversiva.

Para Rodovalho (2017, p. 369), é preciso pensar nas diferenças:

> Cis e trans, pontos de referência, os dois extremos duma dada divisão do mundo, entre eles havendo uma grande variedade de sujeitos e mesmo casos fronteiriços.

Nesse contexto, a cisgeneridade não se constitui como gênero original, pois, na verdade, os ideais performativos criados pelo CIStema colonial moderno de gênero são sempre inalcançáveis. Então, a partir deste, experiências diversas de gênero foram sendo criadas no decorrer do tempo e do espaço. Somos todos e todas cópias.

Ao trazer o conceito de produção parodista de Butler (2017), desejo afirmar que há produção de diferenças tanto nos processos de constituição das subjetividades trans* como nos processos cisgêneros – se somos todos e todas cópias, estamos constantemente produzindo diferenças. A existência de uma norma compulsória não impossibilita transgressões inventivas, afinal, como já demonstrou Foucault (1988), onde há poder, há resistência. A produção normativa da cis-heterossexualidade, entretanto, apaga as demais possibilidades, enquadrando-as em posições hierárquicas inferiores por meio de discursos moralizantes e patológicos.

Nos jogos de gênero, não há gênero original, mas uma incansável produção das diferenças. Quando trago o conceito de autodeterminação, pensado de modo coletivo, pretendo reforçar a necessidade de validação de diferentes performances trans* que não se encaixam no modelo cisnormativo. É importante que não criemos estruturas rígidas de enquadramento das corporalidades trans*, por isso, insisto que toda corporalidade não cisgênera é trans*. Para Beatriz Bagagli (2016, p. 95):

> a diferença trans resiste ao que é tido como imutável, discernível e preestabelecido. As rupturas em relação à cisgeneridade compulsória se orientam precisamente pela transformação. Uma pessoa é trans na medida em que constrói sua identidade por meio de uma trajetória para o futuro em vez de se remeter a uma síntese do passado. O gênero trans em sua diferença resiste ao imperativo de dizer a própria verdade diretamente, porque ele é contingente, fluido e se encontra em um *continuum* em direção ao futuro. Ele não é facilmente matematizado e esquematizado segundo princípios lógicos da cisgeneridade.

As experiências trans* performam em um contexto das diferenças e precisam se distanciar das normatizações excessivas sobre o gênero. É necessário pensar de modo diferente das violências colonizadoras e não formular prescrições, laudos e diagnósticos sobre nossas autoderminações de modo rígido, inflexível e hierárquico, o que não significa dizer que não existam alguns critérios – eles, na verdade, surgem a partir dos reconhecimentos mútuos. Não há como instituir um único conceito sobre travestigeneridade, transexualidade, não binaridade, mulheridade travesti, feminilidade travesti; e por aí vão as diferenças que constituem nossas performances trans*. Essas variações e conceituação devem ser disputadas, negociadas, definidas e validadas entre as pessoas trans*. É por isso que a ideia de reunir uma série de identidades e performances a partir de um único termo, "trans*", é extremamente problemático.

De posse do conceito de autodeterminação, é preciso que, cada vez mais, contestemos os discursos que nos enquadrem, por um olhar médico, em modelos patologizantes. O conceito de autodeterminação nos coloca como protagonistas de nossas experiências subjetivas, retirando a autoridade que, na sociedade vigente, ainda está tutelada por instituições médicas, jurídicas, religiosas e estatais, que nos delimitam em uma condição subalterna, patológica, criminosa e imoral. Quando os corpos trans* assumem processos de produções discursivas sobre suas subjetividades passam a rechaçar o pensamento colonizador e os processos de patologização.

No que tange à patologização, para Paul Preciado (2018), o termo "transexualismo" entrou na literatura médica no ano de 1954 associado a uma condição curável a partir dos estudos do endocrinologista Harry Benjamin sobre o uso clínico de moléculas hormonais no tratamento de "mudança de sexo". As décadas de 1950 e 1960 marcaram o processo de identificação clínica e diagnóstica das subjetividades trans*.

De acordo com as pesquisadoras brasileiras Berenice Bento e Larissa Pelúcio (2012), Harry Benjamin estabeleceu critérios para diferenciar as pessoas transexuais de homossexuais, delimitando, como principal marcador diferencial, a relação de abjeção que pessoas transexuais têm com as genitálias. Para o endocrinologista, era preciso ter certeza da "condição transexual"; assim, estabeleceu critérios diagnósticos que justificariam a cirurgia de transgenitalização, considerada por Harry a única alternativa terapêutica possível para as pessoas transexuais.

A década de 1950 será então um marco para o início da patologização das subjetividades a partir de critérios médicos. No decorrer das décadas de 1960 e 1970, a tendência cirúrgica intensificou-se, e a literatura científica buscou criar critérios pra a definição do "transexualismo". O debate acerca das subjetividades trans* também passa a ser feito pelas ciências psi. Nesse sentido, a psicóloga Tatiana Lionço (2019) destaca que tanto a psicologia como a medicina psiquiátrica participaram na construção de uma ideia de anormalidade associada às subjetividades trans*, destacando que o processo de classificação das transgeneridades como patologia foge dos critérios de diagnósticos adotados pela psiquiatria, uma vez que a "transexualidade" não é descrita nem como condição delirante, nem possuindo uma base orgânica. De tal modo, a própria medicina psiquiátrica assume que há uma arbitrariedade na classificação da "transexualidade" como doença mental que tem, como justificativa, teses morais.

Apesar da busca por critérios científicos, a medicina psiquiátrica acabou por validar questões morais, justificando a condição patológica das subjetividades trans* na divisão binária dos sexos na perspectiva do dimorfismo sexual e da heterossexualidade compulsória. É nesse sentido que as pesquisadoras brasileiras Berenice Bento e Larissa Pelúcio (2012) assinalam que gênero tem sido tratado como uma categoria diagnóstica, quando deveria ser entendido como categoria cultural. E seguem pontuando que foi nos anos de 1980 que os interesses por produzir um diagnóstico diferenciado para as subjetividades trans* ganharam concretude. Primeiro com a incorporação de transexualidade na Classificação Estatística Internacional de Doenças e Problemas Relacionados com a Saúde (CID) e, logo em seguida, a Associação de Psiquiatria Norte-Americana (APA) aprovou a terceira versão do Manual Diagnóstico e Estatístico de Transtornos Mentais (DSM), classificando transexualidade na lista dos "Transtornos de Identidade de Gênero".

Após a década de 1980, o enquadramento patológico no CID e no DSM persistiu subjugando as subjetividades trans* a um modelo biopolítico de controle, na medida em que a terapia hormonal e a cirurgia de redesignação sexual só poderiam ser acessadas por meio desses diagnósticos médicos-psiquiátricos. Expressões como "transexualismo", "disforia de gênero" e "transtorno de identidade sexual" se fortalecem na literatura médica-científica e constroem um aparato discursivo da diferença sexual que naturaliza a divisão binária e correlacional de sexo e do gênero em masculino e feminino, materializando políticas sexistas e cis-heteronormativas de gênero. Desse modo, a discursividade médico-científica confere inteligibilidade ao gênero binário e à heterossexualidade na medida em que fundamenta uma condição patológica das identidades trans*.

Contudo, não é apenas na área médica que o conceito de gênero passa a ser debatido, já que discursos contra-hegemônicos passaram a construir conotações sociais, culturais e históricas de gênero dentro das Ciências Sociais, da Filosofia, da História, dentre outras áreas acadêmicas, além dos movimentos sociais feministas e LGBTQIA+. Essa produção articulada de saberes passou a possibilitar condições epistemológicas e práticas para questionar os modelos biomédicos de patologização das subjetividades trans*.

A partir do ano de 2007, o ativismo trans* passará a pautar a necessidade de despatologização das identidades trans*. De acordo com Berenice Bento e Larissa Pelúcio (2012), as primeiras manifestações aconteceram em Madri, Barcelona e Paris, no ano de 2007, dando início ao *Stop Trans Pathologization* (em tradução livre, "Parem com a patologização trans"). Os desdobramentos das lutas continuaram e, no ano de 2009, a campanha passou a ter uma divulgação internacional em diferentes continentes, e contou com ações em 29 cidades, atingindo 17 países. No Brasil, a campanha começa a se multiplicar em 2010, com destaque especial para as ações do Conselho Regional de Psicologia de São Paulo.

A campanha instituiu 21 de outubro como o Dia Internacional de Ação pela Despatologização Trans e, atualmente, conta com a adesão de mais de quatrocentos grupos e redes de ativistas, instituições públicas e organizações políticas da África, América Latina, América do Norte, Ásia, Europa e Oceania. Em análise ao site oficial da *Stop Trans Pathologization* delimito em linhas gerais que a campanha luta para:

a) a retirada da classificação dos processos de transição entre gêneros como patologia do DSM-5 e da CID-11;

b) a mudança do paradigma de serviços de atenção à saúde transespecífica de um modelo de avaliação a um enfoque de consentimento informado;
c) o acesso a serviços de saúde (tratamentos hormonais, cirurgias e atendimento ginecológico/urológico) de modo público e gratuito sem psicopatologização;
d) o reconhecimento legal de gênero sem requisitos biomédicos;
e) a despatologização da diversidade de gênero na infância tanto na saúde como nos campos educacionais e sociais;
f) a abolição dos tratamentos de normalização binária a pessoas intersexo.

As reivindicações da campanha *Stop Trans Pathologization* permanecem produzindo um forte aparato discursivo contra a permanência de concepções patológicas acerca das subjetividades trans* no DSM-5 e da CID-11, que, desde a década de 1980, passam por revisões. A última alteração do DSM-5 aconteceu em maio de 2013, a quinta versão desde seu lançamento, e foram cinco anos de intensos debates e discussões, envolvendo profissionais psi (psicólogos, psiquiatras e psicanalistas) além de ativistas dos direitos humanos. Apesar de algumas mudanças, a APA manteve as subjetividades trans* dentro do enquadramento da "disforia de gênero".

Para Berenice Bento (2017), tanto a terceira versão, como a quarta e a quinta, usam critérios de naturalização do gênero, pois, ao caracterizar a condição disfórica, os profissionais psi utilizam, como padrões, os papéis de gênero cristalizados socialmente para meninos e meninas, quando, na verdade, as produções de subjetividades trans* nem sempre estarão em sintonia com os scripts de gênero normativos. Nisso, cabe realçar que as subjetividades trans* estabelecem inúmeras negociações culturais com a divisão binária de gêneros entre masculino e feminino, e, em muitos momentos, inclusive, promovendo subversões. Na luta de descolonização de nossas identidades, entendo que qualquer tentativa de universalização de nossas produções subjetivas dissidentes é um limite que precisa ser superado.

As memórias da travesti nordestina Céu Cavalcanti (2019, p. 34-35) sobre seu processo de formação em Psicologia são bastante úteis para entender o quanto os padrões normativos de gênero utilizados pelos profissionais psi no diagnóstico das subjetividades trans* é limitante e colonizador:

> Lembro aqui uma narrativa que ouvi vários anos atrás, quando uma psicóloga dizia ser descrente com a verdade

de mulheres trans que chegavam a seu consultório de calças. "Como ela quer ser mulher e usa calça? Fico desconfiada de que ela não quer ser mulher assim." Ela chegava a dizer isso publicamente, enquanto ela própria sempre usava calças jeans. Na mesma linha, lembro-me de um renomado profissional da Psicanálise brasileira que, alguns vários anos atrás, quando eu ainda era estudante de graduação, esteve em um evento na minha cidade explanando sobre sua enorme expertise no atendimento às pessoas trans ao mesmo tempo que reforçava os supostos critérios diagnósticos e o sofrimento compulsório que precisávamos ter com nossos corpos para recebermos o correto diagnóstico. Na ocasião, eu ainda era iniciante nas leituras sobre gênero, de modo que não consegui elaborar nada para comentar; contudo, um amigo homem trans presente levantou a mão e disse que a fala não procede, pois ele próprio nunca teve problemas com seu corpo e vagina e não se considerava menos homem por isso. O renomado palestrante, de forma arrogante em um auditório lotado, disse ao homem trans que, na verdade, meu amigo não era trans, mas apenas um "confuso de gênero" e que deveria procurar um psicanalista para se decidir.

O relato sensível é bastante perturbador, pois revela como os profissionais psi se apossam de um poder de definir as nossas subjetividades à revelia de nossos modos de autodeterminação. E para além desse processo de violência colonial que nos destitui do direito à palavra, percebe-se nitidamente que os critérios de definição das transgeneridades recaem na identificação de padrões normativos de gênero, numa dimensão reducionista e cristalizada de masculino e feminino, capaz de questionar a identidade feminina de uma mulher trans pelo simples fato de usar calça. Ora, calça é uma vestimenta, logo não deveria ter gênero. O padrão de inconformidade com o corpo pensado na década de 1950 por Harry Benjamin permanece, de modo que o não sofrimento com o corpo faz com que um psicanalista duvide publicamente da identidade de um homem trans.

Desse modo, o DSM-5 opera numa lógica colonizadora das subjetividades trans*: subjugando-as a padrões cis-heteronormativos de produção de gênero. E importante ressaltar, como aponta Berenice Bento (2017), que o DSM-5 traz um avanço considerável ao considerar no processo de diagnóstico as dimensões culturais do sofrimento, contudo, questiona a competência dos psiquiatras em compreender a "linguagem cultural do sofrimento", tendo em vista que tais dimensões são discutidas com maior pertinência dentro de ciências humanas como a Antropologia, a Sociologia, a História, entre outras.

Bento (2017) denuncia ainda que no processo de construção do capítulo "Conceitos fundamentais do sofrimento" do DSM-5 foram consultados apenas 12 profissionais de cinco países, usando o inglês como língua, e que não foram consultados nem cientistas sociais, nem pessoas trans*. Como então esses profissionais com experiências culturais específicas poderiam compreender de modo diverso as dimensões culturais das subjetividades trans*? Novamente, revela-se o caráter colonizador do DSM-5, que é elaborado a partir de contextos culturais específicos, mas que possui uma potente abrangência internacional, sendo utilizado como referência em diagnósticos clínicos em contextos bastante diferentes.

O mesmo papel colonizador pode ser observado na CID-11, que trouxe mudanças significativas em sua décima primeira versão divulgada previamente em 2018 e com vigência plena a partir de 2022. A CID-11 retirou a transexualidade do capítulo de "Transtornos Mentais e Comportamentais", criando um novo capítulo: "Condições Relacionadas à Saúde Sexual", que caracteriza as questões da transexualidade como incongruência de gênero. E atualmente os países membros da Organização Mundial de Saúde (OMS) estão em processo de adaptação e capacitação de seus profissionais de saúde.

Não podemos negar que a CID-11 traz avanços consideráveis para novos modos de pensar as subjetividades trans*, que deixam de ser entendidas dentro do prisma dos transtornos mentais. Contudo, no intuito de tornar reais os efeitos da nova classificação, ainda é importante um intenso trabalho educativo entre profissionais de saúde, para a comunidade científica e toda a sociedade de modo geral. Além disso, o ativismo trans* ainda demonstra especial preocupação com a presença da categoria "incongruência de gênero na infância" no CID-11, por trazer um potencial normatizador que conflitua com os ideais de infância livre e despatologizada.

A permanência da classificação "Disforia de gênero" no DSM-5 e as recentes modificações da CID-11 apontam para o entendimento de que o processo de despatologização das subjetividades trans* ainda se constitui como um desafio que precisa ser energicamente enfrentado. É preciso denunciar que ambos os sistemas de classificação e diagnósticos historicamente têm transformado valores morais em um falso discurso científico com evidentes interesses de manutenção de uma ordem binária e cis-heteronormativa de gênero. Gênero ainda possui um potencial diagnóstico que precisa ser superado, na medida em que compreensões culturais para a categoria ganhem mais espaço, superando a lógica moralista e patológica.

É necessário também entender que o acesso à saúde pública por parte de pessoas trans* não deve ser orientado por um diagnóstico – as necessidades e os desejos produzidos pelas subjetividades trans* precisam ser reconhecidos e respeitados como determinantes sociais da saúde. Ao mesmo tempo, para Bento e Pelúcio (2012), parte da população trans* teme que a retirada das subjetividades trans* das classificações patológicas possa impedir o acesso ao sistema público de saúde que ainda se orienta por critérios de diagnósticos clínicos, o que revela a biopolítica exercida pelo Estado. Nesse contexto, é preciso reforçar a ideia de saúde como bem público oferecido de modo irrestrito à população, com garantia de acesso a terapias hormonais e cirurgias sem a necessidade de diagnóstico.

Além de refletir sobre os processos de psiquiatrização das subjetividades trans* por meio do DSM-5 e da CID-11, também considero pertinente trazer algumas reflexões sobre o papel da psicologia, que, infelizmente, também participou do processo de patologização das identidades trans*. Contudo, de outro modo, Tatiana Lionço (2019) considera que, contemporaneamente, a psicologia constitui-se como um ator político estratégico na luta pela despatologização das travestilidades e transexualidades, pois, recentemente, ela tem buscado se afirmar como categoria de classe profissional de resistência à subalternização histórica das subjetividades trans*.

O resultado desse posicionamento fica bastante evidente quando o Conselho Federal de Psicologia publica a Resolução CFP nº 01/2018, que estabelece normas de atuação para as psicólogas e os psicólogos na perspectiva de combater as violências transfóbicas praticadas cotidianamente dentro de consultórios. A Resolução CFP nº 01/2018 é importante, pois, apesar de, em termo legais, não abranger outras práticas, além do exercício profissional da psicologia, ressalta-se que muitas violências socialmente se estabelecem a partir do uso dos discursos da psicologia. De tal modo, a resolução acaba por se constituir em mais um aparato discursivo que fortalece a luta das pessoas trans* ao enfrentamento social de uma condição subalterna e patológica.

Em análise à Resolução CFP nº 01/2018, Céu Cavalcanti (2019) estabelece três pontos fundamentais: (1) O princípio da autodeterminação; (2) O uso da cisgeneridade como categoria analítica; (3) O reconhecimento de violências estruturais como atravessadores a serem considerados pela psicologia. Tais pontos são úteis tanto para o campo da psicologia, como para os movimentos sociais trans* e as mais diversas instituições. Constata-se que a supracitada resolução traz tanto a autodeterminação quanto a cisgeneridade como maquinarias de combate às violências transfóbicas capazes de propiciar uma compreensão mais humana para as subjetividades trans*.

No que tange ao conceito de autodeterminação, Céu Cavalcanti (2019, p. 34), nos ensina que pautar autodeterminação, na medida em que nos convoca todas a entender os sinuosos meios de produção e agenciamento das verdades, reposiciona as linhas de poder que, até então, creditam ao onisciente profissional psi o estatuto de enunciar as verdades possíveis sobre pessoas trans. Seguindo o viés da autodeterminação, deslocamos esse aparato ao entender que são complexas as constituições de subjetividade e de narrativas que nos explicitem ao mundo, de modo que é desde sempre impossível categorizar as vivências trans em uma divisão binária de vivências verdadeiras ou falsas, a partir do critério eleito pela interpretação do próprio profissional de saúde.

Assim, o foco é deslocado do profissional de psicologia que, na verdade, precisa passar a acolher melhor os modos como o paciente vivencia suas experiências de gênero. Ou seja, não é o profissional que enquadra a pessoa trans* em um modelo único e binário de masculinidade ou de feminilidade, já que essas composições são variadas. Por isso, a importância de compreender analiticamente o conceito de cisgeneridade, que permite um entendimento mais amplo dos papéis de gênero, e principalmente a não fixação de quaisquer um desses papéis como uma condição natural, normal, e nem a fixação da heterossexualidade como norma hegemônica.

Ressalto que a cisgeneridade opõe-se criticamente à associação direta e unidirecional entre sexo-gênero-desejo, portanto, a heterossexualidade compulsória faz parte da crítica que o conceito de cisgeneridade proporciona. Tais relações feitas são construções sociais tramadas nas relações de poderes dentro do regime de colonialidade dos nossos corpos e desejos. Além disso, os discursos de diferenciação sexual vão determinar que, além de binário, o gênero precisa ter uma correspondência mútua que é apoiada nas funções reprodutivas, ou seja, que caracteriza a heteronormatividade. A manutenção de uma ordem compulsória entre sexo-gênero-desejo está diretamente relacionada à sustentação dos privilégios cisgêneros e talvez pudesse ser simples entender que não existe correlação entre sexo e gênero, e tampouco entre gênero e desejo.

A defesa da livre orientação sexual também encontra fortalecimento pelas diretrizes do Conselho Federal de Psicologia por meio da Resolução CFP nº 001/1999, que, em seu segundo artigo, preconiza que "os psicólogos deverão contribuir, com seu conhecimento, para uma reflexão sobre o preconceito e o desaparecimento de discriminações e estigmatizações contra aqueles que apresentam comportamentos ou práticas homoeróticas". Desse modo, as resoluções CFP nº 01/2018 e nº 001/1999 corroboram com a desnaturalização da ordem compulsória entre sexo-gênero-desejo, permitindo uma compressão social e cultural tanto das identidades de gênero quanto das orientações sexuais.

Ao findar deste capítulo cumpre destacar que o propósito de autodeterminação e a crítica à cisgeneridade são uma verdadeira máquina de guerra discursiva dentro do transfeminismo capaz de ampliar compressões culturais sobre as subjetividades trans*, e que o conceito de cisgeneridade – quando destituído como norma – amplia horizontes e possibilidades. Nesse caminho, é importante compreender que cisgeneridades e transgeneridades não devem ocupar uma posição binária de marcação identitária fixa, mas que o contexto pode é representar, na verdade, um instrumental analítico que nos possibilita repensar privilégios. Nesse jogo de desfazer privilégios e normatizações, possibilidades de compreensão de nossas subjetividades devem emergir para além dos antagonismos redundantes de homem e mulher em uma perspectiva biomédica, de modo que seja importante, nesse processo, repensar também as corporalidades transgêneras, tema do nosso próximo capítulo.

CORPORALIDADES TRANSGÊNERAS: AUTODETERMINAÇÃO COMO INSURGÊNCIA AO CISTEMA

As performances corporais trans* ocupam grande preocupação no modo como constituímos nossas subjetividades. Concordo com Judith Butler (2017), "nós não somos nossos corpos, nós fazemos corpos", um processo contínuo de produção de si a partir de diálogos com as normas regulatórias de gênero. Por meio de diversos modos, todos os corpos trans* rompem com as normas cisgêneras, reinventando modos de ser para além das feminilidades e masculinidades, como, por exemplo, a emergência da não binaridade. Os corpos são referências que podem funcionar como âncora para nossas identidades, um ponto firme ao qual nos vinculamos e nos conectamos, um ponto de apoio. Por isso, compreender suas multiplicidades se faz tão importante, sob risco de continuar reiterando um jogo hierárquico que produz opressões diversas, processos de adoecimentos e mortes.

Conforme demarcamos anteriormente, a categoria analítica da cisgeneridade vai exatamente demarcar que a diferenciação sexual binária é utilizada como critério de fixação de identidades sexuais nos corpos. Além disso, a cisgeneridade impõe a consequente produção de uma hierarquia social que considerará abjeto todo corpo que fugir à tal normatividade. Por isso, a crítica ao cisgênero como modelo único é tão importante, pois ela retira a condição de naturalidade a materialidade dos corpos, propondo, de outra maneira, pensar que esses processos de materialização dos corpos trazem as marcas de práticas discursivas. Para Butler (2019, p. 16),

> nesse sentido, o que constitui a fixidez do corpo, seus contornos, seus movimentos, será algo totalmente material desde que a materialidade seja repensada aqui como efeito do poder, como o efeito mais produtivo do poder. Não há forma alguma de entender o "gênero" como um constructo cultural imposto sobre a superfície da matéria, seja ela entendida como "o corpo" ou como seu suposto sexo.

Desse modo, reitero que sexo é gênero. Dito de outro modo, as formas como nomeamos "os sexos anatômicos" é um efeito discursivo do gênero que produz materialidades. Assim, o gênero não se limita às questões genitais que ele mesmo produz, mas, também, às outras dimensões sociais, afetivas e corporais. Reforço essa dimensão de que sexo é gênero, pois compreender as corporalidades trans* fora de vieses patologizantes e morais requer entender que "sexo anatômico", ou o corpo, são naturais e imutáveis, são efeitos das relações de poder. Butler (2019) entende o corpo como matéria, sem a conotação de lugar ou superfície; o corpo é matéria, pensado como um processo de materialização, e as concepções estáticas de "sexo anatômico" nada mais são do que a cristalização de um processo constante de reiteração de normas regulatórias.

Por isso, não somos corpos, fazemos corpos. Compreender esse processo de fabricação como constante reiteração das normas regulatórias possibilita o questionamento e ruptura com as mesmas. Se as normas precisam ser constantemente reiteradas é porque não existem "homens" e "mulheres", ou, melhor dizendo, não existem corpos generificados/sexuados de modo essencial e imutável.

Reverberando e parodiando a célebre frase de Simone de Beauvoir (1970): não se nasce mulher, não se nasce homem, não se nasce gay, lésbica, travesti, transexual, não nascemos essencialmente com nenhum sexo, gênero, ou orientação sexual, tampouco nos tornamos, já que não há uma perspectiva de que seríamos algo anterior ao próprio processo de nos fazermos. Isto é, não existe sujeito anterior ao processo de produção do gênero, nem sujeito que guiaria esse processo. O sujeito é um efeito dessa produção, o sujeito generificado é efeito das relações de poder.

Para Butler (2019), a materialização nunca está completa, de modo que os corpos não se conformam nunca às normas pela quais são impostos. Há um processo constante de fazer corpo, fazer gênero. É desse modo que Butler (2019, p. 16) nos propõe o conceito de performatividade de gênero,

> (...) não como um 'ato' singular ou deliberado, mas como uma prática reiterativa e citacional por meio da qual o discurso produz os efeitos que nomeia.

A performatividade não pode ser um ato, pois é uma série de atos repetitivos que reiteram constantemente as normas regulatórias de gênero, fixando uma verdade que, por sua vez, ocultará, segundo Butler (2017), os rastros do processo de produção. Os corpos trans*, ao assumirem uma performance de gênero que se opõe à normatização sexo-gênero-desejo, deflagram o processo de produção que os corpos cisgêneros tanto buscam ocultar. Sempre sou questionada sobre quando "me tornei" Letícia Carolina. Curiosamente, ninguém faz esse tipo de pergunta para pessoas cisgêneras, que são lidas como "naturais".

O conceito de performatividade como atos reiterados nos propõe que homens e mulheres trans ou cis, travestis, pessoas não binárias e outras possibilidades de gênero passem por um processo de produção de seus corpos em negociação constante com as normas regulatórias do sistema sexo-gênero-desejo e outras normas, tendo em vista que nossa identidade não é perpassada apenas pelas questões de gênero. Portanto, a performatividade de gênero não é um privilégio das pessoas trans*, é uma realidade para todas as corporalidades.

Para elucidar o conceito de Butler (2017; 2019) de performatividade de gênero, trago as palavras de Piscitelli (2002, p. 15-16):

> Gênero seria a estilização repetida do corpo, um conjunto de atos reiterados dentro de um marco regulador altamente rígido, que se congela no tempo produzindo a aparência de uma substância, de uma espécie de ser natural. Uma genealogia política bem-sucedida de ontologias de gênero desconstruiria a aparência substantiva do gênero em seus atos constitutivos e localizaria e descreveria esses atos dentro dos marcos compulsivos estabelecidos pelas forças diversas que "vigiam" a aparência social do gênero.

A máquina de guerra analítica da cisgeneridade pensada a partir do transfeminismo corrobora com o processo de desconstrução da aparência substantiva do gênero, ou seja, de gênero como atributo estático que o sujeito possui, que é principalmente vivenciada pelos corpos cisgêneros. É urgente promover um processo de desnaturalização de nossos corpos, fazendo emergir performances de gênero para além da lógica binária do masculino e do feminino construídos a partir de um corpo natural. É preciso bagunçar as fronteiras entre a suposta naturalidade e a artificialidade, uma vez que os corpos trans* são tão artificiais quanto os corpos cis.

Donna Haraway (2013) nos convoca, enquanto feministas-ciborgues, para habitar o prazer das fronteiras entre o natural e o artificial, entre o humano e o animal, entre a natureza e a cultura, questionando e redimensionando tais categorias. Como feministas-ciborgues, devemos nos opor ao modelo de comunidade baseada no ideal de família orgânica e produzir corpos que contestem qualquer matriz identitária natural, colocando qualquer essencialização de nossos corpos sob suspeita. O feminismo-ciborgue se vale da perversidade e da ironia para potencializar a dimensão imaginativa capaz de romper com binarismos, falsas essências e ideias naturalistas, em um processo de remodelação de nossos corpos. A profetiza da dissolução do humano, Haraway (2013, p. 37) afirma que

> no final do século 20, neste nosso tempo, um tempo mítico, somos todos quimera, híbridos — teóricos e fabricados — de máquina e organismo; somos, em suma, ciborgues. O ciborgue é a nossa ontologia; ele determina nossa política. O ciborgue é uma imagem condensada tanto da imaginação quanto da realidade material: esses dois centros, conjugados, estruturam qualquer possibilidade de transformação histórica.

As revoluções tecnológicas e culturais do século 20 são fundamentais para apontar possibilidades de remodelar nossos corpos, rompendo com os totalitarismos orgânicos, apontando o caráter ficcional e fragmentado de nossas identidades. Na narrativa ciborgue, o gênero é afastado de qualquer narrativa de origem, de qualquer teleologia. Não por acaso a metáfora do ciborgue me parece tão rica para pensar os corpos de travestis, de mulheres e homens trans, mas diz respeito também aos corpos cisgêneros. A potência analítica do ciborgue retira dos corpos qualquer sobra de naturalidade, fazendo emergir os processos de fabricação, de intervenção.

Paul Preciado (2018) também confere importância às mudanças tecnológicas e científicas no decorrer do século 20 no processo de pensar corpos e gêneros. Citarei duas: a invenção da primeira pílula anticoncepcional em 1957, a Enovid (combinação de mestranol e noretidodrel), inicialmente aprovada como tratamento de disfunções menstruais, após quatro anos passará a ser usada como contraceptivo. A outra é o uso da molécula de sildenafil, comercializada com o nome de Viagra a partir do ano de 1998, para o tratamento químico da disfunção erétil. Lembrando que a indústria farmacêutica tenta desencadear a ereção a partir de intervenções cirúrgicas e químicas desde a década de 1950.

Seguindo uma analítica foucaultiana, Preciado (2018) vai salientar que o uso comercial de biomoléculas nos traz evidências do controle biopolítico da população, fazendo da sexualidade, do gênero e do prazer objetos de gestão política dentro das sociedades capitalistas. Assim, conforme os avanços técnico-científicos vão se consolidando, as técnicas de controle dos corpos também são redesenhadas. Além disso, as questões subjetivas também perpassam a biopolítica dos corpos, como a indústria pornográfica, por exemplo, que, por meio de suas técnicas visuais, passa a modelar as reações sexuais do público masculino predominantemente. Nesse cenário, a revista estadunidense *Playboy*, criada em 1953, passa a circular. Mais tarde, em 1972, *Garganta Profunda*, produzido por Gerard Damiano, torna-se um dos filmes mais vistos de todos os tempos na época, o que alavanca a indústria pornográfica.

Esses são só alguns indicadores do surgimento de um regime pós-industrial, global e midiático que a partir

> de agora chamarei de *farmacopornográfico*. O termo se refere aos processos de governo biomolecular (fármaco-) e semiótico-técnico (-pornô) da subjetividade sexual dos quais a Pílula e a *Playboy* são dois resultados paradigmáticos. (PRECIADO, 2018, p. 36)

As técnicas farmacopornográficas vão produzir e fixar um determinado tipo se sujeito governado pelo regime cis-heteronormativo. De certo modo, o sujeito é reinventado, já que a cis-heternomatividade marca profundamente as relações de poder desde o século 18, como propõe Foucault (1988). Durante o século 19, e por boa parte do século 20, a regulação das condições reprodutivas ocupa grande importância no controle da população, e, nesse momento, também se observa a normatização da cis-heternomatividade. A partir da década de 1970, as técnicas farmacopornográficas passam a alterar os modos como os corpos cis-heterossexuais são produzidos, de modo que agora é possível exercer controle sobre o que antes acreditava-se estar sob o véu na naturalidade.

A ereção e a fecundação, por exemplo, podem sofrer intervenções de biomoléculas, e até mesmo o desejo sexual passa a ser orientado por uma mídia pornográfica. A metáfora do véu me parece pertinente, pois, de fato, tais processos de reprodução, de orientação afetiva e sexual do desejo, de divisão binária de nossos corpos, de instituição de performances de gênero a partir de funções reprodutivas, ou um determinado modo de organização familiar nuclear, nada disso é natural. O véu da naturalidade oculta os processos de fabricação de nossos corpos, desejos e formas de organização social.

Não é o uso de biomoléculas que confere artificialidade ao corpo; nós nunca fomos entidades integralmente orgânicas. Antes da indústria pornográfica, outras técnicas eram utilizadas para modelar nosso desejo sexual e coibirem outros desejos, como a prática da confissão ou a necessidade de povoamento. É por isso que trago a potência analítica das técnicas farmacopornográficas para expor que nossos corpos são artificiais, no sentido de que são produzidos, assim como nossos desejos, e, principalmente, por ser fundamental para o entendimento dos nossos corpos no século 21, corpos produzidos a partir de técnicas biotecnológicas e semióticas.

No Brasil, o historiador nordestino Elias Veras (2017) demarca que os efeitos do poder farmacopornográfico começam a circular com mais intensidade na década de 1980. No que tange à semiótica do poder pornográfico, a figura da transexual Roberta Close será emblemática. Na televisão, era presença em programas como o *Cassino do Chacrinha*, mas é o ensaio desnudado na *Playboy* de 1984 que lhe trará o estrelado midiático nacional. Para o historiador, os/as leitores/as, dentre estes/as jornalistas, médicos/as e psiquiatras que transformaram a impressa em divã público, alimentaram especial curiosidade pelo "enigma chamado Roberta Close" e pelas imagens que "revelam" como prometia a *Playboy*, em sua capa, por que Roberta "confunde tanta gente". (VERAS, 2017, p. 114)

Com o intuito de fixar a identidade cis-heterossexual como norma, o poder farmacopornográfico relega as transgeneridades ao espaço do fetiche, o que se torna evidente com a incômoda curiosidade que Roberta Close desperta. O gênero da transexual é lido como farsa, como truque. Inclusive, no Bajubá, que é o dicionário travesti, a expressão truque, bastante usada, faz referência exatamente ao processo de ocultação do pênis entre as pernas. Considero o fetiche dos corpos transgêneros um produto do poder farmacopornográfico que, na medida em que fixa a cis-heteronormatividade, demarca as demais experiências como anormais, e, portanto, apreensíveis, apenas como fetiche, algo exótico, estranho, que não pertence ao campo do natural.

Por outro lado, o enigma, a confusão de Roberta Close coloca o gênero em evidência como performance, em uma dimensão estilizada, já que fabrica um corpo com contornos femininos que expõe a plasticidade do gênero, que, longe de ser natural, é artificial. Além disso, a possibilidade de circulação no cenário midiático começa a causar fissuras no CIStema. Em todo país, o fenômeno Roberta Close também é experimentado por outras corporeidades que não se encaixam na ordem sexo-gênero-desejo, e, aos poucos, experiências antes enquadradas dentro das homossexualidades passam a fissurar, fazendo emergir as transgeneridades como possibilidades, especialmente as travestigeneridades.

Para Elias Veras (2017), os carnavais ao longo do século 20 foram espaços de experimentação de performances femininas dentro das homossexualidades. Além disso, muitos bailes de carnavais e concursos passaram a ser registrados pela mídia a partir da década de 1950. "Rapazes homossexuais" alegres e fantasiados numa performance feminina passaram a estampar revistas em que, a partir da década de 1970, com os desdobramentos do poder farmacopornográfico, a travesti é midiatizada, passando a emergir, porém sendo demarcada como experiência marginal, clandestina. Aos poucos, "o travestismo" deixa de ser uma prática alegórica e carnavalesca, fissurando a homossexualidade e produzindo a emergência da travesti como identidade de gênero.

A presença de travestis nas mídias e em carnavais produz um barramento nas fronteiras de gênero. A circulação discursiva produz rupturas, apesar do poder farmacopornográfico demarcar esses corpos como algo estranho ao gênero binário normativo. As resistências à produção compulsória da cis-heteronormatividade contribuem para a materialização das performances travestis e transexuais. O contexto farmacopornográfico amplia essas possibilidades de resistência como um produto paralelo, visto que sua produção reforça a cis-heteronormatividade. Por exemplo, no Brasil, o poder farmacopornográfico, como caracteriza Preciado (2018), além da circulação midiática de travestis, trará, a partir da década de 1980, o uso de hormônios e silicone.

Em suas análises ao contexto cearense, Elias Veras (2017) aponta que a mídia associará as travestis ao uso de hormônios e de silicone, principalmente o industrial. O historiador realiza uma série de entrevistas em que as travestis relatam a importância do uso do silicone e dos hormônios para "modelar o corpo". O uso do silicone médico era caro, por isso, o uso do silicone industrial era mais acessível, mas, nem tanto, visto que alguns relatos contam que, no caso da capital cearense, Fortaleza, as "bombadeiras" tinham de vir de outras capitais. As "bombadeiras" eram pessoas que, clandestinamente, injetavam o silicone industrial. A travesti Thina, em entrevista a Veras (2017, p. 90-91), conta que, nas vivências de travestis da década de 1980 sempre existiu esse negócio de silicone e de hormônio, entendeu? A gente comprava na farmácia, e o silicone era clandestino, como sempre é, né?! Vinha de São Paulo, a maioria vem de São Paulo, e as bombadeiras bombavam. A gente ia pesquisando, ia atrás e as pessoas iam indicando quem bombava, quem não bombava, entendeu? Hoje em dia é proibido, é isso, e aquilo outro, tal e tal coisa. E a medicina proíbe e tal coisa. Só que elas nunca deixaram de se bombar.

O relato é interessante, pois mostra como as travestis – dentro do poder farmacopornográfico – produzem brechas usando o avanço tecnocientífico das biomoléculas e do silicone pra modelarem seus corpos à revelia da cis-heteronormatividade. Para Cláudia Penalvo, Marcio Caetano, Alexsandro Rodrigues e Nilda Alves (2020), as bombadeiras aparecem como verdadeiras fadas-madrinhas que conseguem ajustar as corporalidades das travestis aos seus desejos. Entre os riscos e desejos, a população transgênera possui uma relação constante com essas personagens. Inclusive, o caráter proibitivo e marginal do uso do silicone demarca o lugar periférico da produção das corporalidades transgêneras dentro do regime farmacopornográfico, usando de táticas de resistência para fazer fissuras.

O poder farmacopornográfico produz e fixa a cis-heteronormatividade, o que é evidenciado quando analisamos o modo como os corpos cisgêneros e os corpos transgêneros são tratados dentro desse regime. Enquanto para os corpos cisgêneros, em geral, o uso de biomoléculas é algo popularizado, principalmente dentro das sociedades ocidentais, para os corpos transgêneros, o uso passa por crivos morais e patologizantes. Por exemplo, boa parte das mulheres cisgêneras consegue acesso a pílulas contraceptivas, seja para a regulação do ciclo hormonal ou para o controle da natalidade. Do mesmo modo, homens cisgêneros usam os comprimidos como estimulantes sexuais.

O mesmo direito, contudo, não é dado a pessoas transgêneras. Qualquer tipo de intervenção corporal, muitas vezes, passa por vieses morais e patologizantes que buscam normatizar as subjetividades trans*, reconduzindo-as a uma naturalidade essencial cis-heteronormativa. Muitos entraves jurídicos, biomédicos e morais distanciam as pessoas transgêneras de uma autodeterminação de seus corpos.

O mesmo abismo entre corpos transgêneros e corpos cisgêneros, no que tange ao processo de intervenções corporais, encontra-se nas cirurgias plásticas, por exemplo. Mulheres cis insatisfeitas com seus narizes podem recorrer a uma rinoplastia, se desejam mais seios, podem colocar silicone, do mesmo modo homens cis também podem, se desejarem, ter barrigas mais definidas ao realizarem uma abdominoplastia.

Porém, se falamos em cirurgias de redesignação sexual, imediatamente o debate é retirado da esfera privada e redimensionado como um debate público. Sobre essas questões, Preciado (2018, p. 126) argumenta que

> enquanto o nariz está regulado por um poder farmacopornográfico em que um órgão se considera como propriedade individual e objeto de mercado, os genitais continuam encerrados em um regime pré-moderno, soberano e quase teocrático de poder que os considera propriedades do Estado e dependentes de uma lei transcendental e imutável. Mas, na sociedade farmacopornográfica, uma conflitante multiplicidade de regimes de poder-conhecimento opera em simultâneo em diferentes órgãos, rasgando o corpo separadamente.

Considero bastante importante entender que o poder farmacopornográfico atravessa as pessoas em formas múltiplas. Afinal, entre mulheres cisgêneras, por exemplo, o acesso a biomoléculas, como anticoncepcionais, ou mesmo de cirurgias estéticas, passa por outras questões, como as de classe, ou ainda as religiosas, acesso a informações, dentre outras, já que é preciso sempre pensar interseccionalmente e pautar a autonomia dos corpos como um direito coletivo. Contudo, ilustrando com o caso dos anticoncepcionais, apesar de algumas mulheres cis não conseguirem acesso por questões diversas, existem políticas públicas de saúde que garantem distribuição de anticoncepcionais. Contemporaneamente, tal debate raramente adentraria pontos patologizantes, e essa é uma das diferenças abissais entre corpos transgêneros e cisgêneros.

A dimensão patologizante das subjetividades transgêneras a partir de pautas morais e religiosas retira, das pessoas trans*, a possibilidade de autodeterminação sobre nossos corpos. As perguntas, supostamente preocupadas e bem-intencionadas, são muitas: "Mas você não sabe os efeitos que esses hormônios podem ter no seu corpo?"; "Você não acha que essa cirurgia de redesignação é uma decisão muito drástica?"; "Não seria melhor fazer mais tempo de terapia pra ter certeza se precisa tomar hormônios ou fazer cirurgias?"; "Você vai mesmo mutilar seu corpo com essa cirurgia?" De outro modo, fico me perguntando: quantas mulheres cis fizeram pelo menos dois anos de terapia pra colocar mais de um litro de silicone em cada peito?

Precisamos pautar a autodeterminação como direito que as pessoas trans* possuem de assumirem suas identidades de gênero e a fabricação de seus corpos de modo autônomo. Mesmo que, em contextos de países diversos, a necessidade de manutenção das transsexualidades na CID-11, e também no DSM-5, seja considerada uma necessidade para se pautar políticas públicas voltadas para as pessoas trans* é urgentemente necessário afastar vieses patologizantes, e, principalmente, não demandar diagnósticos para a realização dessas intervenções, inclusive antes da maioridade.

Para muitos adolescentes trans*, o uso de bloqueadores de puberdade auxilia no impedimento, temporário, da produção de hormônios que fazem com que o corpo manifeste alguns caracteres sexuais, como crescimento de pelos, desenvolvimento de seios, menstruação, pelos faciais, voz mais grossa, dentre outros. A pesquisadora transgênera Zinnia Jones, em texto traduzido por Bia Bagagli (2018, não paginado), afirma sobre os bloqueadores de puberdade:

> Esses medicamentos, que agora são administrados em hospitais e clínicas de gênero nos Estados Unidos, com o apoio de várias organizações médicas importantes, dão um tempo para os adolescentes considerarem se querem passar pela transição. Crucialmente, os bloqueadores da puberdade são totalmente reversíveis: qualquer jovem que, em última instância, escolha não transicionar pode interromper os bloqueadores, e sua puberdade original será retomada.

Percebe-se, então, que os bloqueadores garantem alguma liberdade para adolescentes que não se sentem confortáveis com o desenvolvimento de determinadas características de seus sexos atribuídos, de modo que eles podem experimentar, com a possibilidade de interromper ou continuar, suas corporalidades. De certo modo, os bloqueadores funcionam como um paliativo, tendo em vista que os adolescentes ainda não têm idade suficiente para tratamentos hormonais que possuem efeitos mais permanentes. Embora pareça uma questão polêmica, rejeitar esse direito é transfobia, uma vez que adolescentes cisgêneros, por vezes, iniciam tratamentos hormonais antes da maioridade, seja para controlar fluxo menstrual ou outras demandas.

Retirar das pessoas transgêneras o direito à autodeterminação de seus corpos é uma prática transfóbica frequente em discursos morais, religiosos e patológicos. Denunciar os privilégios cisgêneros é um modo de fazer com que as pessoas entendam o quanto nossos acessos a determinadas intervenções corporais são limitadas, ao passo que, para as pessoas cisgêneras, esse debate, muitas vezes, sequer é feito.

Ora, se a improvável biologia do corpo precisa ser respeitada, qual é o motivo de homens tomarem tantos estimulantes sexuais? Se não conseguem ereção, então devemos aceitar e respeitar os limites do corpo? Ou não deveria, então, o homem com disfunção erétil ser também diagnosticado exaustivamente por vários profissionais e passar por longas terapias, para poder fazer uso de estimulantes? Se esses discursos parecem absurdos para muitos, para mim, absurdo também é afastar pessoas trans* de desejos que potencializam a fabricação de seus corpos.

Enquanto para nós, pessoas trans*, o direito à hormonização, às cirurgias de redesignação sexual, à mamoplastia masculinizadora, à histerectomia, dentre outros procedimentos, são regulados pelo Estado, pelo saber médico-científico e pelo poder farmaco-pornográfico, os corpos cisgêneros gozam com maior liberdade de intervenções corporais, que são consideradas estéticas e decisões do âmbito privado. E a limitação da autodeterminação dos corpos transgêneros influencia diretamente na dimensão da saúde mental, ocasionando depressões e, por vezes, suicídios.

Tanto pessoas cisgêneras quanto transgêneras possuem desconfortos com suas corporalidades. Contudo, a cisnormatividade demarca qualquer desejo de alteração corporal realizada ou desejada pelas pessoas transgêneras como algo patológico. Para muitas pessoas transgêneras, os desconfortos começam na infância ou na adolescência, como nos relata o homem trans e psicólogo brasileiro João Nery (2019, p. 82):

> A adolescência foi a pior parte, pois é onde aparecem todos os hormônios sexuais. No Brasil não é oficialmente permitido usar os hormônios bloqueadores que, no meu caso, evitaria o crescimento das mamas,

evitaria a "monstruação" — que é como trato no meu livro: um "monstro". Enfim, eu já com seios e aí aparece a "monstruação".

Para muitas pessoas, é difícil acreditar que existem transgeneridades na infância ou na adolescência, mas me furtarei de generalizar – basta conversar com a maior parte das pessoas trans* que elas vão comentar que, na infância, os conflitos com o gênero atribuído já se faziam presentes. Em um artigo meu publicado em parceria com Catia Martins e Esmael Oliveira (2019) em análise de *Tomboy,* filme francês de 2011, dirigido pela cineasta Céline Sciamma, entendemos que a personagem Mickael brinca com gênero ao cortar o maiô de banho para ter uma sunga e moldar um pênis com massinha de modelar. Ou seja, nesse caso, a alegoria cinematográfica ilustrou como as crianças subvertem regras desterritorializando gênero a partir de seus desejos.

A pauta da despatologização das infâncias e adolescências transgêneras é urgente – a imposição de gênero produz memórias violentas, às vezes traumas. A intenção não é afirmar que crianças e adolescentes são transgêneros de modo definitivo, mas é preciso, contudo, garantir a liberdade para que eles possam experimentar livremente vivências de gênero sem discursos limitantes de que meninos vestem azul e meninas vestem rosa.

É extremamente vergonhoso que, mesmo diante de dados alarmantes de abuso infantil, parte da população brasileira insista em debater temas relativos às vivências livres de gênero. Numa perspectiva transfeminista, entendo que são as próprias crianças e adolescentes que devem definir suas identidades sexuais e de gênero, a partir do conceito de autodeterminação. A pauta defendida é que as famílias garantam um ambiente seguro e acolhedor para que as crianças possam performar seus gêneros sem sanções morais e patologizações.

Bruna Benevides (2020), ao expor os privilégios da cisgeneridade, aponta que tanto crianças cisgêneras como transgêneras mostram suas preferências de identificação de gênero. Enquanto aquelas são premiadas, estas são violentadas, via de regra. Acolher as infâncias e adolescências trans*, inclusive com a garantia do uso de bloqueadores de puberdade, é garantir um desenvolvimento saudável. Trazendo alguns dados de pesquisas, Zinnia Jones, na tradução de Bagagli (2018, não paginado) aponta que

> os jovens transgêneros que recebem tratamento com bloqueadores de puberdade são conhecidos por melhorarem os resultados de saúde mental e terem melhor qualidade de vida (CRALL & JACKSON, 2016), enquanto aqueles cuja disforia de gênero permanece não tratada correm o risco de depressão, automutilação e comportamento suicida (RADIX & SILVA, 2014).

Apesar do uso de bloqueadores hormonais ainda serem proibidos para menores de 16 anos no Brasil, a resolução do Conselho Federal de Medicina (CFM nº 2.265/2019) prevê, no 2º parágrafo do artigo 9º, que, em crianças ou adolescentes transgêneros, o bloqueio hormonal poderá ser realizado exclusivamente em caráter experimental em protocolos de pesquisa. Uma brecha importante, que pode futuramente se concretizar em uma conquista grandiosa para a comunidade transgênera. Além disso, a resolução supracitada diminuiu a idade pra o início da hormonização de dezoito para dezesseis anos. No caso das cirurgias de "adequação sexual", podem ser feitas apenas depois de dezoito anos de idade, exigindo-se, no mínimo, um ano de acompanhamento por equipe multiprofissional e interdisciplinar.

A expressão "adequação sexual" e, logo mais, "processo transexualizador", aparecem entre aspas, pois não concordo com o uso das expressões, já que as mesmas reforçam a perspectiva de que os corpos cisgêneros são naturais e os corpos transgêneros, artificiais. Para pessoas que fazem rinoplastia, não existe "adequação de nariz", tampouco mulheres que colocam próteses nos seios fazem "adequação dos seios"; as pessoas cisgêneras simplesmente fazem cirurgias, e é assim que devemos tratar os corpos transgêneros. É uma cirurgia de neovulvovaginoplastia ou faloplastia.

Do mesmo modo, "processo" parece demarcar que apenas os corpos trans* passam por um processo de fabricação dos seus gêneros, quando, na verdade, todas nós fabricamos nossas corporalidades em um processo ininterrupto. Além do mais, a metáfora imposta pela expressão "processo transexualizador" faz pensar a existência de uma máquina na qual entramos e "mudamos nossos corpos", ou, ainda, traz a ideia de início e fim, quando, na verdade, o processo de fazer corpos nunca está acabado.

Dentro das corporalidades transgêneras, debater a necessidade de construção de políticas públicas que garantam, por meio do Sistema Único de Saúde (SUS), a hormonização, cirurgias de redesignação sexual, mamoplastia masculinizadora, mamoplastia de aumento, procedimentos para remoção de pelos a laser, cirurgias de histerectomia, entre outras demandas, trazem impactos na melhoria da saúde mental de pessoas transgêneras que, às vezes, sentem-se inseguras e desconfortáveis com variados aspectos de seus corpos. Muitos desses procedimentos já fazem parte do dito "processo transexualizador", normatizado pela Portaria nº 2.803/2013, contudo, além de uma oferta pequena, o processo burocrático e centrado do consentimento biomédico é bastante violento.

Em um país com dimensões continentais como o Brasil, em 2020, o SUS dispõe de apenas cinco hospitais habilitados no "processo transexualizador": Hospital das Clínicas da Universidade Federal de Goiás, Hospital Universitário Pedro Ernesto da Universidade do Estado do Rio de Janeiro, Hospital de Clínicas de Porto Alegre da Universidade Federal do Rio Grande do Sul, Hospital das Clínicas da Faculdade de Medicina da Universidade de São Paulo e Hospital das Clínicas da Universidade Federal de Pernambuco.

Mesmo a hormonização disponível em serviços ambulatoriais, e não em centros cirúrgicos apenas, também não é de fácil acesso para a população transgênera. Em sua pesquisa "Aviões do Cerrado", a farmacêutica transexual Alicia Krüger (2018) constata que, no Distrito Federal, a maioria das travestis e transexuais aprendem os usos umas com as outras e compram diretamente em farmácias, sem receituário médico. Embora seja um estudo localizado, o que percebo, entre conversas com minhas irmãs transgêneras e também em comunidades do Facebook ou grupos de WhatsApp, é que essa realidade é bastante comum.

O excesso de burocracia e as violências transfóbicas constantes em consultórios levam as pessoas transgêneras a usar hormônios sem acompanhamento médico. De um lado, um risco à saúde; do outro, uma tática de resistência. Por isso, tanto nas práticas de uso do silicone industrial com as bombadeiras, como no uso sem acompanhamento de hormônios, é importante que, para além de julgamentos moralizantes, reflitamos sobre a ausência de políticas públicas que possam de fato garantir o acesso a tais procedimentos. Essa ausência também mata, sufoca e compromete a saúde da população transgênera.

Faz parte da burocracia médica que os procedimentos ofertados pelo SUS tenham um acompanhamento de uma equipe multiprofissional e interdisciplinar composta por endocrinologistas, ginecologistas ou urologistas, psiquiatras, psicólogos e assistentes sociais, e acredito ser importante o acompanhamento dessa equipe. O que sou incisivamente contrária é que qualquer um desses profissionais tenha o direito de determinar se podemos ou devemos fazer quaisquer procedimentos sobre nossos corpos. Esse poder biomédico é extremamente abusivo.

Mais uma vez o abismo entre o direito que as pessoas cisgêneras e as transgêneras possuem na autodeterminação de suas corporalidades é posto. Por exemplo, em casos de cirurgias bariátricas, é exigido laudo psicológico, contudo, o intuito é apenas compreender o nível de preparo do paciente para lidar com a cirurgia. Inclusive, no meu processo de pesquisa, visitando alguns sites de atendimento psicológico para pacientes que desejam fazer cirurgia bariátrica, a informação de que a intenção não é de "impedir" ou "reprovar" o paciente era sempre evidenciada.

Contudo, a política do SUS não prevê que as pessoas trans* possam autodeterminar suas corporalidades. A Portaria nº 2.803/2013 no inciso II, § 2º do artigo 14 determina que

> II - Os procedimentos cirúrgicos de que trata esta Portaria serão iniciados a partir de 21 (vinte e um) anos de idade do paciente no processo transexualizador, *desde que tenha indicação específica e acompanhamento prévio de 2 (dois) anos* pela equipe multiprofissional que acompanha o usuário(a) no Serviço de Atenção Especializada no Processo Transexualizador (grifo meu).

Portanto, a "indicação" parte da equipe multiprofissional que autoriza os procedimentos. Após anos de espera, tendo em vista que, para muitas dessas pessoas, o desejo de fazer determinados procedimentos possa ter surgido na adolescência, ou até mesmo na infância, é necessário ainda se submeter a uma equipe que determina se o seu desejo é ou não legítimo. Acredito que a equipe deveria se preocupar em apresentar os procedimentos, os riscos dos resultados, os cuidados pré e pós-cirúrgicos, possibilitando com que as pessoas trans* estejam preparadas para as mudanças corporais que desejam fazer, e não decidir por elas.

Ademais, Bruna Benevides (2018), em nota da Antra, informa que não existem dados científicos que corroborem com a ideia de que uma porcentagem alarmante de pessoas trans* se arrependam da cirurgia. Alguns estudos sistematizados por Benevides apontam que o nível de arrependimento está abaixo de 4%, e a maioria estima que esteja entre 1 e 2%. Logo, ratifica-se o fato de que as pessoas que procuram por tais procedimentos ambulatoriais e cirúrgicos possuem plenas convicções sobre seus desejos. O direito à autodeterminação precisa ser garantido para as corporalidades transgêneras.

De outro modo, ainda sobre as performances corporais de pessoas trans*, é importante ressaltar que estas possuem diferentes desejos no processo de fabricação de seus corpos. É errado pensar que todas as pessoas trans* possuem relação de rejeição com seus genitais e corporalidades de modo geral. Essa lógica de "transexualidade verdadeira", lançada na década de 1950 pelos primeiros estudos que caracterizariam as transexualidades como patológicas, ainda persistem, e, para muitos, inclusive muitos profissionais da saúde, rejeitar o órgão sexual é o parâmetro mais confiável para determinar, na verdade, "diagnosticar transexualidade".

Não por acaso, a militância criou as expressões "mulher de pau" e "homem de buceta" para enfatizar que muitos corpos trans* não possuem relações de repulsa com seus genitais. Nesse sentido, os pesquisadores

André Paiva e Vladimir Félix-Silva (2015) apresentam as travestilidades a partir da metáfora "mulher de pau" como possibilidades poéticas de desterritorialização do corpo. Por isso, é importante atentar para as inúmeras possibilidades de relação que as pessoas transgêneras possuem com suas corporalidades. Assim, construir discursos universalizantes é uma limitação que precisa ser superada: homens e mulheres transexuais e travestis, travestis e pessoas não binares fabricam-se de formas diversas. Tomar hormônios e fazer cirurgias são possibilidades – o que temos em comum é o questionamento da ordem sexo-gênero-desejo.

Mulheres transexuais e travestis podem manter pelos corporais em seus rostos, braços e pernas. Muitas mulheres cisgêneras também possuem pelos, em maior ou em menor quantidade, em axilas, vaginas, rostos, braços e pernas, algumas até por "disfunções hormonais" (hirsutismo). Coloco em aspas o termo "disfunções hormonais" por compreender que a disfuncionalidade é assim caracterizada pela normatização cis-heteronormativa de que mulheres não devem ter pelos, ou, ainda, de que ser feminina não comporta ter pelos. O feminismo cisgênero tem denunciado contundentemente que esse padrão é violento. Para muitas mulheres cis, trans e travestis, é embaraçoso ter pelos. Assumir é um ato de desobediência a padrões machistas que insistem em orientar a lógica de produção de nossos corpos.

Por outro lado, não podemos jamais desconsiderar o peso social que ter pelos traz para mulheres cis, trans e travestis; por isso, pautar políticas públicas para que mulheres cis com hirsutismo e mulheres transexuais e travestis possam remover seus pelos é tão necessário. Não podemos, sob uma perspectiva individualista, que faz com que algumas de nós consigamos assumir livremente seus pelos, apesar dos constrangimentos sociais, deslegitimar uma pauta tão necessária que coaduna com uma vivência saudável.

O feminismo é para todas, com ou sem pelos. Precisamos estar atentas para que nossas agendas coletivas não diminuam pautas que são essenciais para algumas de nós. Em resumo, a construção de uma agenda política não pode ser imperativa às nossas liberdades individuais da mesma maneira que as nossas liberdades individuais não podem deslegitimar a construção de uma agenda política coletiva.

O mesmo vale para as cirurgias de redesignação sexual. Sim, "mulheres com pau" existem, estão entre nós, transfeministas, e essa existência não pode, de modo algum, deslegitimar a pauta de garantir a ampliação desse direito presente no SUS. A ideia continua sendo lutar contra o excesso de diagnósticos, a lentidão burocrática do processo, a oferta reduzida, e, principalmente, não inviabilizar as vivências de mulheres transexuais redesignadas dentro do transfeminismo. O conceito de autodeterminação nos permite validar experiências diversas de corpos travestigêneres, com ou sem próteses, com ou sem pelos, com ou sem cirurgias. É preciso insistir no que temos em comum, que é a não adequação aos discursos cisgêneros, a ideia de que nossos genitais determinam qualquer verdade sobre nossos corpos.

Retomo, mais uma vez, a necessidade de pensar o conceito de autodeterminação, transversalizado com conceito de autodefinição do feminismo negro (COLLINS, 2019), de modo a garantir também a valorização das experiências coletivas dentro do processo de autodeterminação. Por certo, nós, travestis, assim como as mulheres transexuais, e ainda outras formas de nomeação que podemos performar dentro do transfeminismo, estabelecemos critérios de reconhecimento mútuo de nossas identidades, e essas validações coletivas são importantes, já que trazem um senso de pertencimento coletivo que potencializa a nossa existência. Não penso que devemos instituir um tribunal autoritário de definição de nossas identidades, no entanto, é o compartilhamento de vivências que nos traz um senso de comunidade e irmandade – nessas trocas, nossas identidades são forjadas.

Os corpos trans* são revolucionários quer performando identidades normativas em diálogo com o gênero binário cisgênero, quer performando subversões normativas. As corporalidade trans* são feitas em diálogo com as normas, é na relação com as normas impostas que todos os corpos trans* ou cis são produzidos. Somos todos cópias, não há origem, há uma ininterrupta produção performativa de nossas subjetividades em materialidades generificadas. Gênero é discurso, um discurso materializado estilisticamente em performances variadas.

Importante também registrar as violências vividas pelas corporalidades intersexo, como demarca a travesti negra intersexo, Carolina Iara de Oliveira (2020), e também o homem trans intersexo, Amiel Vieira (2018), que asseveram como os discursos sociais e médicos produzem práticas de invisibilização das corporalidades divergentes. Nessa lógica, propõe-se uma adequação compulsória e desumana de pessoas intersexo dentro de uma lógica binária de sexo/gênero, violências perpetradas em recém-nascidos e crianças, marcando as experiências dessas subjetividades de modo patologicamente anormal. Além disso, as violências contra as pessoas intersexo também se ancoram na cis-heteronormatividade. Desse modo, a autonomia das corporalidades intersexuais merece respeito se constituído como pauta transfeminista.

O transfeminismo abarca possibilidades corporais em desacordo com a norma cisgênera, que impõe uma verdade biológica sobre nossos corpos.

Dentro de uma política transfeminista, é importante incorporar o *body-positive* como tática de valorização de nossas diversidades corporais – travestis de pau, mulheres redesignadas, com ou sem pelos, fazendo tratamentos hormonais ou não, o respeito às individualidades é extremamente necessário. Do mesmo modo, é imprescindível uma escuta empática para compreender que o desejo por mudanças corporais precisa apontar para a construção de políticas públicas, tendo em vista o conceito social de saúde atrelado ao bem-estar físico e emocional.

A luta transfeminista requer que saibamos acolher nossas diversidades de modo agregador, o que não impede que tracemos limites entre construções identitárias e performances fluidas. É inegável que romper com a cisgeneridade é revolucionário. Então esta é a pauta transfeminista: afirmar a potência das subjetividades transgêneras na luta contra a cis-heteronormatividade compulsória. O respeito mútuo das corporalidades transgêneras dentro de nossa comunidade é um imperativo ético que a autodeterminação nos impõe de modo endógeno. As corporalidades transgêneras precisam estar lado a lado na resistência e no enfrentamento das violências, que não são poucas e, por vezes, são letais.

VIDAS TRANS* IMPORTAM: TRANSFEMINICÍDIO TAMBÉM É UMA PAUTA FEMINISTA

De acordo com dados do Atlas da Violência (Ipea, 2017), houve um expressivo crescimento de 30,7% no número de homicídios de mulheres no país no período de 2007 a 2017. Dentro da dimensão de raça, o mesmo estudo verifica que a taxa de homicídios de mulheres não negras teve crescimento de 4,5% entre 2007 e 2017, enquanto que a taxa de homicídios de mulheres negras cresceu 29,9%. A violência de gênero possui dados assustadores e colocam o Brasil entre os cinco países que mais matam mulheres no mundo.

Nesse contexto, é importante ressaltar também as violências sofridas pela comunidade LGBTQIA+. O Mapa da Violência de Gênero (2017), a partir do Sistema de Informação de Agravos de Notificação (Sinan), aponta que, entre 2014 e 2017, foram recebidos 12.112 registros de violência contra pessoas trans* (travestis e mulheres e homens transexuais). No que tange à orientação sexual, foram notificados 257.764 casos de violência entre pessoas homossexuais e bissexuais no período.

Ao apresentar dados relacionados à violência de gênero e orientação sexual, pretendo destacar, desde o início, a importância de entendermos essas opressões em uma perspectiva de análise interseccional. Apesar de suas especificidades relevantes, a morte de mulheres e da comunidade LGBTQIA+ possui fortes entrelaçamentos, uma vez que compartilhamos experiências marcadas pela colonialidade de gênero, que, a partir de padrões cis-heteronormativos, impõem uma lógica binária de gênero. Assim, categorias como (cis)sexismo, misoginia, patriarcado e machismo são amplamente interligadas quando falamos de violências tanto contra mulheres quanto contra a comunidade LGBTQIA+.

Essas aproximações produzem pontes – é importante entendermos interseccionalmente as opressões para que possamos construir alianças. Por exemplo, as questões LGBTQIA+ dizem respeito ao feminismo, na medida em que temos mulheres lésbicas e bissexuais, e, além disso, o ponto que venho destacando de que mulheres transexuais e travestis também devem estar integradas dentro da práxis feminista. Ainda cabe ressaltar que muitas mulheres lésbicas, bissexuais, transexuais e travestis são negras, o que demanda a construção de alianças com os movimentos negros. Não podemos falar de violências sem pensar dados a partir de uma interseccionalidade.

Falar da vida de mulheres transexuais e travestis demanda tecer diálogos, nem sempre fáceis, com a comunidade LGBTQIA+, que se centra, historicamente, a partir das problemáticas de gays cis brancos; com o feminismo, fortemente cis-heteronormativo e branco; e com os movimentos negros, extremamente cis-heteronormativos. A nossa presença em tais movimentos tem assumido constantemente um tom de denúncia, em especial em relação aos privilégios e acessos provindos da cisgeneridade.

O ponto é compreender criticamente nossas diferenças para que possamos construir alianças. Conforme abordado anteriormente, a compreensão por parte do feminismo e dos movimentos negros e LGBTQIA+ da categoria cisgeneridade é crucial para que possamos tecer diálogos sobre os modos pelos quais as opressões vivenciadas por nós, pessoas trans*, diferem-se das vividas por mulheres, negros e negras, lésbicas, gays e bissexuais quando contempladas e contemplados pela cisgeneridade. Se, por um lado, as opressões combatidas pelo feminismo, movimentos negros e LGBTQIA+ dizem respeito à vida de mulheres transexuais e travestis, de outro, cada segmento possui contextos específicos para a compressão dessas opressões.

É preciso sempre tensionar discursos pretensamente universalistas sobre nós. Por exemplo, a afirmação "As vidas das mulheres importam" abrange mulheres transexuais e travestis? Quando afirmarmos "Vidas negras importam", estamos também nos referindo a mulheres e homens trans e travestis negras e negros? Em "Vidas LGBTQIA+ importam", o "T" da sigla realmente contempla a população trans*? Os questionamentos são importantes, pois produzem rupturas, e tecer diálogos entre movimentos sociais não é algo harmônico, mas as tensões existem e são necessárias, são momentos de (des)construção.

Se todos vivemos dentro de um mundo ordenado pelo (cis)sexismo, machismo, racismo e LGBTfobia, é importante que consideremos que os movimentos sociais, como parte de CIStema-mundo, também trazem marcas dessas opressões. Por certo, também não podemos isentar os movimentos de mulheres transexuais e travestis, nem o transfeminismo, de práticas racistas, e inclusive misóginas para com mulheres cisgêneras. Uma abordagem interseccional demanda aprendizagens coletivas, por isso, é tão importante ampliar não apenas nossos lugares de fala, mas, também, nossos lugares de escuta.

Essas questões introdutórias sobre as violências vividas por pessoas trans* é um apelo para que possamos entender que tais questões não dizem respeito apenas ao transfeminismo; elas atravessam outros movimentos sociais e acadêmicos. De modo particular, interessa-me relacionar os assassinatos de pessoas trans* com a categoria feminicídio já consagrada nos estudos de gênero, ampliando seu conceito para transfeminicídio. Esse diálogo estreita os laços do transfeminismo com outras correntes feministas, de modo que é preciso entender que mulheres trans e travestis podem ser negras, lésbicas, bissexuais, pobres, pessoas com deficiências (PCD), gordas, periféricas, de comunidades rurais, do campo e quilombolas – são muitos os atravessamentos.

Relacionar os assassinatos de mulheres transexuais e travestis ao feminicídio amplia a luta contra o machismo e o (cis)sexismo, afinal, podemos entender o feminicídio como um crime motivado pelo ódio e desprezo às identidades femininas. A partir de uma colonialidade do gênero, como propõe a filósofa e ativista feminista argentina María Lugones (2014), entendemos que as construções socioculturais no Brasil, na América Latina e no Caribe produziram uma série de hierarquizações sociais que traçaram uma linha entre o humano e o não humano. Entre as muitas hierarquias, a ideia de que o homem é superior à mulher, e de aquele possui pênis e esta, vagina, será central ao modo de organização das colônias americanas.

O desprezo pela mulher e por tudo que é feminino tem suas raízes fincadas na colonialidade do gênero, já que o homem branco detinha o poder sobre a mulher branca. Em uma dimensão racial, o homem branco era superior a homens negros e mulheres negras, bem como aos homens e mulheres indígenas. Por sua vez, os homens negros assimilaram o modo de organização cis-heteronormativo colonial e passaram a subjugar as mulheres negras. Nesse contexto, destaca Lugones (2014, p. 936):

> O homem europeu, burguês, colonial moderno tornou-se um sujeito/agente, apto a decidir, para a vida pública e o governo, um ser de civilização, heterossexual, cristão, um ser de mente e razão.

A colonialidade de gênero também irá produzir efeitos sobre aquelas corporalidades que não encontram consonância com a ideia normativa de homem e mulher numa ótica binária de gênero a partir de diferenças sexuais. Nesse sentido, conforme já exemplificado em outros momentos, Xica Manicongo, ao assumir uma identidade de gênero feminina, teve sua vida ameaçada pelo Tribunal da Inquisição Católica. A colonialidade de gênero produz, nos modos de organização social latino-americanos e caribenhos, um profundo desprezo ao feminino, que se torna inferior, sem valor.

Ao trazer o conceito de colonialidade de gênero para pensar o feminicídio, pretendo demarcar como, de modo histórico, as relações sociais entre o que é normatizado como homem e/ou masculino, e mulher e/ou feminino são produzidas. É o lugar social do homem branco, cis-heterossexual, cristão, burguês, sem deficiências, como ser hegemônico, que lhe concede poder de subjugar outras corporalidades, especialmente e com mais desprezo as femininas. Por isso, entendo que o feminicídio não é apenas o ódio e desprezo à "mulher", pois existem uma série de construções culturais que definem o que é "ser mulher", além do uso do termo "mulher" no singular se tornar insuficiente frente à diversidade de construções de mulheridades e feminilidades.

A referência à "mulher" no singular e ao sexo feminino são limitações que precisam ser superadas na discussão sobre feminicídio, como apontam os estudos de gênero. Conceituar mulheres a partir de sua anatomia sexual é limitante frente à diversidade de experiências definidoras de mulheridades e feminilidades. Ademais, no campo do feminicídio, é necessário compreender que não é a vagina, de modo isolado, que determina a vulnerabilidade das identidades femininas, mas todo um universo simbólico feminino determinado de modo arbitrário como destino social irremediável às pessoas que nascem com vaginas.

Portanto, impor uma feminilidade submissa é a primeira violência que acontece com as pessoas rotuladas como do sexo feminino, mesmo antes de nascer. Evidencio que a intenção não é demarcar a vagina como algo desimportante; pelo contrário. É preciso retomar, entretanto, a célebre frase "Não se nasce mulher, torna-se mulher" de Beauvoir (1970). Se entendemos que é o "sexo anatômico" isolado que determina a vulnerabilidade feminina, estamos retrocedendo décadas de discussão feminista.

Desse modo, certamente a vagina ocupa importância nesse debate, porque é o órgão sexual feminino "por excelência", ao menos no modo como a colonialidade de gênero se constrói. Contudo, a vagina não determina a performance de gênero, e isso é perceptível em pessoas que possuem vaginas e performam identidades transmasculinas. Todavia, dentro da colonialidade de gênero, as pessoas que "nascem com vaginas" estariam aptas a se "tornarem mulher", o que significa ocupar um lugar inferior dentro das hierarquias sociais marcadas pela colonialidade do gênero.

Quando tomamos o "torna-se mulher" por referência e não apenas as evidências supostamente biológicas desse gênero, entendemos que existem processos de fabricação dos nossos gêneros e corporalidades. Assim, a vagina possui um papel relevante, inclusive na criação de outras assimetrias sociais assinaladas pela categoria analítica da cisgeneridade. A "mulher de verdade" possui vagina, e as demais identidades femininas seriam variações monstruosas.

O debate é complexo. Se, de um lado, o que nos faz mulheres não é "nascermos com vagina", por outro, na colonialidade de gênero é esse órgão sexual usado para identificar as corporalidades que será alvo de um empreendimento social e educativo de fabricação de identidades femininas sujeitadas às violências masculinas. É importante enfatizar, destarte, os processos de fabricação de gênero e de vulnerabilidades em vez de retificar discursos naturalizantes. Afinal, se todas nos tornamos mulheres e/ou performamos feminilidades, todas fabricamos gêneros artificiais com efeitos violentos reais quando nos distanciamos daquilo que compulsoriamente é imposto como "papel de gênero verdadeiro".

A pretensa naturalização do ideal performativo de que "mulher de verdade" tem vagina precisa ser questionado, inclusive para que possamos desconstruir a ideia de que as identidades femininas são inferiores às masculinas. As hierarquias não são naturais, são fabricadas. Não são os órgãos sexuais que determinam nossos lugares sociais, mas o modo pelos quais estes são produzidos socialmente. Como aponta Butler (2017), é o gênero que produz o sexo, exatamente para enfatizar que os modos pelos quais nós compreendemos os órgãos sexuais é uma produção discursiva. Afinal, nem a vagina, nem o pênis são anteriores à discursividade; esses órgãos são materializações.

Faz parte dos interesses de uma práxis transfeminista desnaturalizar a categoria gênero. Por isso, há importância de realizar esse debate ao introduzirmos o conceito de feminicídio, originalmente pensado para punir crimes de ódio e desprezo contra identidades femininas de mulheres cisgêneras. Entretanto, cada vez mais, o feminicídio passa por um alargamento conceitual de modo a garantir que mulheres transexuais e travestis também estejam amparadas juridicamente por este dispositivo. Travestis, mulheres cisgêneras e transexuais compartilham uma vulnerabilidade social por performarem identidades de gênero femininas em suas realidades sociais diárias.

Pensando com Butler (2017) e Lugones (2014), entendo que o ideal performativo imposto pela colonialidade de gênero possui incisivamente interesses punitivos de modo a criar hierarquias sociais que delimitam que vidas possuem valor de humanidade e quais podem ser subjugadas. O ideal de gênero feminino imposto colonialmente é inalcançável, visto que, mesmo as mulheres que performam uma feminilidade do tipo "bela, recatada e do lar" sofrem violações de direitos, seja em casa no âmbito familiar, seja no domínio público.

A partir da colonialidade, gênero é um dispositivo de classificação e hierarquização social e não pode ser apartado das dimensões coloniais, raciais, capitalistas e cis-heteronormativas. Por isso, o feminicídio diz respeito ao desprezo e ódio que produz uma política de morte de mulheres brancas, negras, indígenas, cisgêneras, heterossexuais, lésbicas, bissexuais, pobres, travestis e transexuais e outras dimensões que atravessam as diversas fabricações das mulheridades e feminilidades.

A análise interseccional demandada pela colonialidade de gênero é fundamental para que possamos pluralizar o conceito de feminicídio para além da definição proposta pelo Código Penal brasileiro no inciso VI do artigo 121 como um crime de homicídio "contra a mulher por razões da condição de sexo feminino". A lei corrobora para uma compreensão essencialista de gênero amplamente contestada nos estudos feministas. Embora o texto não especifique qual é a definição de sexo, o sentido usado e consagrado pela colonialidade do gênero é de definição de sexo a partir da anatomia.

De acordo com as pesquisadoras brasileiras Isadora Machado e Maria Lígia Elias (2018, p. 287-288), versões anteriores à aprovação da Lei do Feminicídio tramitaram no Senado Federal em que definia-se feminicídio como "(...) forma extrema de violência de gênero que resulta na morte da mulher (...)", e, na Câmara dos Deputados, como homicídio qualificado "contra a mulher por razões de gênero". Contudo, optou-se por substituir o termo "gênero" por "sexo feminino", o que pode remeter a uma condição essencial de sexo. Evidencia-se, assim, o cenário conservador e religioso do Legislativo brasileiro. A reformulação do texto da lei é um ataque frontal aos direitos da população de mulheres transexuais e travestis que poderiam se beneficiar do conceito sociocultural expresso em "violência de gênero".

Todavia, apesar das possibilidades de compreensão marcadamente essencialista expressa na letra da lei, algumas táticas por direitos de mulheres transexuais e travestis estão em curso, por exemplo, desde março de 2018, com a decisão do STF referente à ação direta de inconstitucionalidade ADI 4.275, que garante o direito à alteração de nome e/ou gênero nos registros públicos civis por travestis e transexuais sem a necessidade de laudo médico ou procedimento cirúrgico. Uma vez alterado o gênero nos documentos para o "feminino", mulheres transexuais e travestis são consideradas "mulheres" em todas as finalidades jurídicas.

Mesmo antes de 2018 com o ADI 4.275 na hermenêutica jurídica, a não especificação na lei de que "mulher" e "sexo feminino" se referem a sexo e gênero em uma dimensão essencialista e biológica possibilitou a compreensão de "mulher" e "sexo feminino" em uma dimensão sociojurídica. Ou seja, compreender como "mulher" pessoas que socialmente se identificassem como "mulheres", permitindo que legisladores, em alguns casos, aplicassem a Lei do Feminicídio de modo favorável a travestis e transexuais.

Juridicamente, o ADI 4.275 é uma decisão importante, pois nele a Suprema Corte do país revela o entendimento de que o gênero feminino de mulheres transexuais e travestis é resultado de sua liberdade de autodeterminação, independentemente de laudos médicos, cirurgias de transgenitalização ou harmonização. Tal compreensão jurídica pode possibilitar outras interpretações em outros aparatos jurídicos.

Inclusive, em termos jurídicos, a binaridade de gênero prevalece termos sexo masculino e feminino, todavia, travestis, de modo geral, reivindicam-se como identidades de gênero feminina e não necessariamente como mulheres. Do mesmo modo, algumas pessoas não binares, apesar de não se reconhecerem como mulheres, constroem suas identidades de modo ancoradas às feminilidades. Por isso, a ideia não aprovada para a Lei do Feminicídio de "violência de gênero" expressava um entendimento mais abrangente às inúmeras possibilidades de vivência das mulheridades e/ou feminilidades.

Ademais, quer sejamos mulheres cisgêneras e transexuais, travestis ou não binares femininas, é a performatividade do gênero feminino que nos vulnerabiliza socialmente. Para as mulheres cisgêneras, a marcação das feminilidades, muitas vezes, é imposta desde antes do "nascimento". Todas nós, cisgêneras ou não, fabricamos nossas identidades de gênero, e, dentro da colonialidade de gênero, ter uma identidade feminina é assumir um perigo iminente de morte, visto que o desprezo e ódio letal ao feminino é enraizado neste país, uma verdadeira política de morte, uma necropolítica, nos termos do filósofo camaronês Achille Mbembe (2018).

Dentro da práxis transfeminista, entendo que as identidades femininas não podem ser reduzidas à categoria de "mulher". Nesse sentido, a aplicabilidade da Lei do Feminicídio às mulheres transexuais e travestis passa por um processo de desessencialização de gênero, de modo a compreender os processos de produções discursivas sobre gênero e sexualidade. As identidades femininas não são "naturalmente" matáveis, mas há um processo de construção de necropolítica. Na colonialidade de gênero, as identidades femininas são construídas em oposição ao homem branco, cis-heterossexual, burguês, cristão, o sujeito colonial por excelência.

As feminilidades são *outreridades* destituídas de humanidades e, portanto, matáveis. É útil o conceito de necropolítica de Mbembe (2018), atravessado pelo feminismo decolonial de Lugones (2014), para entender que o Estado se articula a partir da colonialidade, do racismo, da opressão de gênero, da cis-heteronormatividade e do capitalismo para produzir a morte das pessoas que são marcadas como não humanas. Uma série de discursos morais, religiosos, médicos, jurídicos e midiáticos marcarão as corporalidades femininas como frágeis, histéricas, imorais, lascivas, pecadoras, perigosas e tantas outras características representativas do ódio e desprezo pelo feminino.

A ênfase dada ao processo de abjeção das identidades femininas objetiva desessencializar o gênero na análise da Lei do Feminicídio. Uma crítica a partir da cisgeneridade permite compreender que, aparentemente, mulheres cisgêneras são mortas por "naturalmente" serem mulheres, enquanto que mulheres transexuais e travestis são assassinadas por performarem uma identidade feminina. A contestação que faço é que nem as cisgêneras, nem as transgêneras são identidades naturais, por isso, é importante romper com a categoria "mulher" no singular, para pensarmos mulheridades e/ou feminilidades não apenas na aplicabilidade da lei, mas, sobretudo, em uma compreensão analítica da categoria gênero.

A compressão "crimes de gênero" se aplica com muita pertinência aos inúmeros casos de violência e homicídio contra mulheres travestis e transexuais, por isso, defendo o uso do termo "trans + femini + cídio" no que tange ao tratamento jurídico e conceitual de nossos assassinatos. A socióloga brasileira Berenice Bento (2017, p. 234), ao caracterizar o transfeminicídio, entende que

> o assassinato é motivado pelo gênero, e não pela sexualidade da vítima. Conforme sabemos, as práticas sexuais estão invisibilizadas, ocorrem na intimidade, na alcova. O gênero, contudo, não existe sem o reconhecimento social. Não basta eu dizer "eu sou mulher", é necessário que o outro reconheça esse meu desejo como legítimo. O transfeminicídio seria a expressão mais potente e trágica do caráter político das identidades de gênero. A pessoa é assassinada porque, além de romper com os destinos naturais do corpo generificado, o faz publicamente e demanda esse reconhecimento das instituições sociais.

Apesar de entendermos que gênero se ancora em um processo de autodeterminação, essa ainda é uma categoria relacional que demanda uma performance pública de reconhecimento social. Não raro, mulheres transexuais e travestis precisam reafirmar o uso correto dos pronomes em seus tratamentos, o que reitera o argumento de que gênero é uma categoria socialmente relacional. Assim, é a performance de gênero feminino que rompe com o destino de gênero irremediável imposto pela colonialidade cis-heteronormativa que vulnerabiliza nossa existência.

Para além da performance com contornos femininos variados, mulheres transexuais e travestis rompem de modo deliberado com seu suposto destino social e renegam a suposta supremacia fálica inerente às suas corporalidades, entendidas como uma verdade biológica. E essa ruptura também faz parte desse processo de vulnerabilização – não por acaso é comum ouvirmos relatos de frases como "Não quer ser mulher? Pois vai apanhar como mulher!" A frase traduz os modos pelos quais a violência transfeminicida é operada: primeiro, demarca que há um reconhecimento público de que mulheres transexuais e travestis performam feminilidades; depois, pressupõe que as mulheridades/feminilidades são inferiores e que, por isso, podem ser alvo de violências.

No caso do transfeminicídio, além do ódio ao feminino, junta-se a aversão ao fato dessas corporalidades romperem com os seus supostos destinos sociais em um viés naturalizante. Outro componente comum entre assassinatos de mulheres cis e trans, em razão de gênero, é o *modus operandi* brutal, um ritual com requinte de crueldade, em que um tiro ou uma facada, por mais perverso que já seja, são sempre poucos. Afinal, o ódio às feminilidades demanda uma ação repetidamente bárbara dessa violência, como pode ser observado no caso Dandara Kettley, morta a tiros, pauladas, chutes e murros, bem como nas violências sofridas por Verônica Bolina, mulher trans e negra, que teve o rosto deformado, o cabelo raspado e o corpo nu exposto dentro de uma delegacia.

Dandara segue morta, mas viva entre as suas, viva no medo de que nós, mulheres transexuais e travestis, temos de também termos nossas vidas brutalmente ceifadas, viva na militância que insiste em denunciar as inúmeras violências vividas pela comunidade trans*. Assim também como Verônica, sobrevivente desse crime horrendo, como muitas de nós, sobreviventes às inúmeras violações diárias que a cis-heteronormatividade nos impõe, sejam físicas ou subjetivas. Não há um único lugar onde nós, mulheres transexuais e travestis, possamos ter paz; não há sossego. A sombra da morte costumaz companheira se faz chão de nossa resistência.

Assim como os inúmeros casos de cisfeminicídios, os transfeminicídios também seguem impunes; não há paz, não há justiça. O fato de Verônica ter sido agredida dentro de uma delegacia ilustra o modo pelo qual o Estado não nos protege. Pelo contrário; a política que nos mata é um braço estatal forte de eliminação de vidas inúteis, de vidas improdutivas à cis-heteronormatividade. Uma hermenêutica mais abrangente da Lei do Feminicídio, conforme assinalei anteriormente, e a recente decisão do STF de equiparação da homofobia e a transfobia ao crime de racismo, são recursos importantes para cavar brechas no sistema jurídico brasileiro ainda tão colonial, sexista, branco e cis-heteronormativo.

No Brasil, os órgãos oficiais de pesquisa não incluem dados concretos sobre as violências sofridas por travestis e transexuais. Nesse sentido, são os próprios movimentos sociais que realizam o monitoramento dos transfeminicídios. Por isso, abro espaço na presente obra para parabenizar o trabalho árduo e fundamental realizado pelas pesquisadoras Bruna Benevides (Antra) e Sayonara Nogueira (IBTE), desde 2017. A seguir, trarei alguns dados que ilustram o modo pelo qual as violências por mulheres transexuais e travestis acontecem.

De acordo com Benevides e Nogueira (2021), no período de 2008 a 2020, foram registrados, em média, 122,5 assassinatos de pessoas transgêneras por ano, uma estatística que coloca o Brasil no topo do ranking mundial de homicídios de travestis e transexuais, de acordo com dados internacionais da ONG Transgender Europe (TGEU). A média nacional é alarmante, em 2020 registrou-se 175 assassinatos, um número superior a 2019 e 2018.

O dossiê organizado por Benevides e Nogueira (2021) caracteriza as vítimas de modo intersecional, o que pode favorecer na construção de políticas públicas direcionadas aos contextos específicos. Por exemplo, a raça é componente estrutural forte entre os assassinatos trans*, visto que 78% das vítimas em 2020 eram negras (pretas e pardas), percentual muito parecido com os dos anos anteriores. Sobre as questões raciais, a professora preta travesti Megg Rayara de Oliveira (2020, p. 78) pondera que

> são os corpos pretos — as Xicas Manicongos da atualidade — alvos preferenciais. É sobre os corpos pretos que o biopoder age com maior frequência. São os corpos pretos mais passíveis de serem matados. Logo, são os corpos pretos os que precisam de um maior cuidado.

A análise decolonial e interseccional demanda a compressão de que raça e gênero são inseparáveis. A partir de suas experiências, Mariah Rafaela Silva (2019), mulher trans, negra e favelada, analisa que misturar transgeneridades e negritudes em uma só corporalidade é uma "monstruosidade em excesso", que rompe com os códigos coloniais, impedindo que travestis e transexuais negras assumam inteligibilidade humana, tornando-se alvos necropolíticos. Nesses termos, é importante compreender que a luta contra a transfobia também é uma luta antirracista.

Entendo que haja uma urgência para que os movimentos negros entendam a importância de abordar, entre suas reflexões, as questões vividas por travestis e transexuais. Afinal, nós também somos alvos desse Estado colonial que perpetrou o racismo como política de extermínio das corporalidades negras cisgêneras, transgêneras, heterossexuais, homossexuais, pobres e tantos outros marcadores atravessados pela racialização negra. Sem análise intersecional, os movimentos negros continuam tendo uma visão limitante da realidade e reproduzindo violências contra travestis e transexuais.

Não podemos deixar de demarcar as dimensões de classe. Benevides e Nogueira (2021) assinalam que 72% das vítimas eram prostitutas (profissionais do sexo). Acrescenta-se que travestis e transexuais são expulsas de casa (aos treze anos de idade) e da escola (estima-se que 72% da população trans* não possua ensino médio) em uma sociedade com fortes assimetrias sociais impostas pelo regime capitalista e por um Estado que se revela cada vez mais neoliberal. E a consequência da ausência de suporte familiar e de educação formal é travestis e transexuais precisarem ir atrás de empregos, que, infelizmente, funcionam como subempregos por conta de condições mais difíceis de vivência.

A questão da prostituição não é analisada sob um prisma moral, pois é entendida como um emprego legítimo que deveria ser salvaguardado pelas leis trabalhistas. A grande questão é que, para muitas, essa é a única opção de trabalho, já que os empregos formais excluem travestis e transexuais não apenas por conta da transfobia estrutural, mas também pelo fato de elas não terem componentes mínimos exigidos em muitos empregos, tais como o ensino médio completo. Ou seja, a vulnerabilização de classe é um componente importante que empurra travestis e transexuais para um aniquilamento social anterior ao extermínio físico.

O extermínio da juventude brasileira, em especial a negra, também pode ser constatada entre pessoas trans*. De acordo com Benevides e Nogueira (2021), 56% das vítimas de transfobia letal estavam entre quinze e vinte nove anos de idade em 2020, e nos anos de 2019 e 2018, temos 59,2% e 60,5%, respectivamente, entre jovens da mesma faixa etária. Por regiões, o Nordeste aparece como uma preocupação constante, concentrando 39% dos casos em 2017, 36% em 2018, 37% em 2019 e 43% em 2020, e o Sudeste aparece sempre em segundo lugar nesse ranqueamento por regiões. Cabe ainda assinalar que os dados consideram pessoas trans* de modo plural, ou seja, travestis, homens e mulheres transexuais e transmasculinos, mas, de modo preponderante, 100% das vítimas em 2020 são do gênero feminino, o que reforça a noção apresentada de que o ódio às feminilidades é uma política colonial que alicerça a brasilidade.

Por fim, as reflexões trazidas neste capítulo se constituem em um apelo para que os feminismos incorporem não apenas o feminicídio de mulheres cis em suas agendas, mas também o transfeminicídio, uma vez que ambos constituem crimes de gênero. A superação de ambos é demandada por meio de enfrentamentos à misoginia, ao sexismo e ao cis-heteropatriarcado, que insistem em demarcar as mulheridades e feminilidades como frágeis, submissas e matáveis. O alargamento da compreensão de gênero é fundamental para o combate das inúmeras violências vividas por nós todas de modo interseccional.

REFERÊNCIAS BIBLIOGRÁFICAS

AKOTIRENE, Carla. **Interseccionalidade.** São Paulo: Pólen, 2019.

ALVES, Nilda Guimarães; CAETANO, Marcio; PENALVO, Claudia; RODRIGUES, Alexsandro. Entre maquinarias e modos de ver e ser vista: a imagem como acontecimento da fada madrinha. **Revista Eletrônica do Mestrado em Educação Ambiental**, Rio Grande, v. 37, n. 2, p. 205-229, 2020.

BAGAGLI, Beatriz Pagliarini. A diferença trans no gênero para além da patologização. **Periódicus**, Salvador, v. 1, n. 5, p. 87-100, mai-out. 2016.

BAGAGLI, Beatriz Pagliarini. **"Cisgênero" nos discursos feministas:** uma palavra "tão defendida; tão atacada; tão pouco entendida". Campinas: Unicamp, 2015. Disponível em: <http://www.bibliotecadigital.unicamp.br/ document/?code=105471&opt=1>. Acesso em: 3 nov. 2020.

BEAUVOIR, Simone. **O segundo sexo**: fatos e mitos. Tradução de Sérgio Milliet. 4. ed. São Paulo: Difusão Europeia do Livro, 1970.

BENEVIDES, Bruna. Carta para Angela Davis... **Medium**, 24 out. 2019. Disponível em: < https://medium.com/@brunagbenevides/carta-para-angela-davis-7e5ff26ab07e>. Acesso em: 3 nov. 2020.

BENEVIDES, Bruna. Meu filho é Trans? O que devo fazer? **Medium,** 16 jan. 2020. Disponível em: <https://medium.com/@ brunagbenevides/meu-filho-%C3%A9-trans-o-que-devo-fazer- -2c93cf14c781>. Acesso em: 15 jul. 2020.

BENEVIDES, Bruna. Precisamos falar sobre o suicídio das pessoas trans! **Antra,** 2018. Disponível em: <https://antrabrasil.org/2018/06/29/precisamos-falar-sobre-o-suicidio-das-pessoas--trans/>. Acesso em: 12 set. 2019.

BENEVIDES, Bruna G.; NOGUEIRA, Sayonara Naider Bonfim (orgs). **Dossiê dos assassinatos e da violência contra travestis e transexuais brasileiras em 2020.** São Paulo: Expressão Popular, Antra, IBTE, 2021.

BENTO, Berenice; PELÚCIO, Larissa. Despatologização do gênero: a politização das identidades abjetas. **Estudos Feministas**, Florianópolis, v. 20, n. 2, p. 569-581, mai-ago. 2012.

BENTO, Berenice. **Transviad@s**: gênero, sexualidade e direitos humanos. Salvador: Edufba, 2017.

BUTLER, Judith. **Corpos que importam**. Tradução de Veronica Dominelli e Daniel Yago Françoli. São Paulo: N-1 Edições; Crocodilo edições, 2019.

BUTLER, Judith. Corpos que pensam: sobre os limites discursivos do "sexo". In: LOURO, Guacira Lopes. **O corpo educado:** pedagogias da sexualidade. Tradução de Tomaz T. da Silva. 3. ed. Belo Horizonte: Autêntica, 2016.

BUTLER, Judith. **Problemas de gênero:** feminismo e subversão da identidade. Tradução de Renato Aguiar. 13. ed. Rio de Janeiro: Civilização Brasileira, 2017.

CARNEIRO, Sueli. Enegrecer o Feminismo: a situação da mulher negra na América Latina a partir de uma perspectiva de gênero. In: Ashoka Empreendimentos Sociais; Takano Cidadania (Orgs.). **Racismos Contemporâneos.** Rio de Janeiro: Takano Editora, p. 4, 2003.

CAVALCANTI, Céu. Patologizações, autodeterminações e fúrias: uma breve carta de amor. In: AMARAL, Marília dos Santos; SANTOS, Daniel K. dos; SOUSA, Ematuir T. de (orgs). **Psicologia, travestilidades e transexualidades**: compromissos ético-políticos da despatologização. Florianópolis: Tribo da Ilha, 2019.

COACCI, Thiago. Encontrando o transfeminismo brasileiro: um mapeamento preliminar de uma corrente em ascensão. **História Agora**, São Paulo, n. 15, p. 134-161, 2014.

COELHO, Caia. Sexo: um paralelo crítico entre a trajetória de gênero e de cisgênero. **Transadvocate Brasil**, 20 mai. 2017. Disponível em: <http://brasil.transadvocate.com/sexo/um-paralelo-critico-entre-a-trajetoria-de-genero-e-de-cisgenero/>. Acesso em: 12 ago. 2019.

COLLINS, Patricia Hill. Aprendendo com a outsider within: a significação sociológica do pensamento feminista negro. **Sociedade e Estado,** Brasília, v. 31, n. 1, p. 99-127, abr. 2016. Disponível em: <http://www.scielo.br/scielo.php?script=sci_

arttext&pid=S0102-69922016000100099&lng=en&nrm=iso>. Acesso em: 9 nov. 2020.

COLLINS, Patricia Hill. **Pensamento feminista negro:** conhecimento, consciência e a política do empoderamento. Tradução de Jamille Pinheiro Dias. São Paulo: Boitempo, 2019.

EVARISTO, Conceição. Gênero e etnia: uma escre(vivência) de dupla face. In: MOREIRA, Nadilza Martins de Barros; SCHNEIDER, Liane (orgs.). **Mulheres no mundo**: etnia, marginalidade e diáspora. João Pessoa: Ideia; Editora Universitária UFPB, 2005.

FANON, Frantz. **Os condenados da Terra.** Juiz de Fora: Editora UFJF, 2010.

FANON, Frantz. **Pele negra, máscaras brancas.** Salvador: Edufba, 2008.

FERREIRA, Leda. O que o transfeminismo significa para mim. **Blog Transfeminismo**, 30 jan. 2013. Disponível em: <https://transfeminismo.com/o-que-o-transfeminismo-significa-para-mim/>. Acesso em: 3 jan. 2020.

FOUCAULT, Michel. **A história da sexualidade I**: a vontade de saber. Tradução de Maria Thereza da Costa Albuquerque e J. A. Guilhon Albuquerque. Rio de Janeiro: Graal, 1988.

FOUCAULT, Michel. **A ordem do discurso:** aula inaugural no Collège de France, pronunciada em 2 de dezembro de 1970. Tradução de Laura Fraga de Almeida Sampaio. São Paulo: Edições Loyola, 2012.

FOUCAULT, Michel. **Ditos e escritos.** Tradução de Vera Ribeiro. v. 4 (Estratégia, poder-saber). Rio de Janeiro: Forense Universitária, 2003.

FOUCAULT, Michel. **Ditos e escritos**. Tradução de Elisa Monteiro e Inês A. D. Barbosa. v. 5 (Ética, sexualidade, política). 2. ed. Rio de Janeiro: Forense Universitária, 2006.

FRASER, Nancy. Feminismo, capitalismo e a astúcia da história. In: HOLLANDA, Heloísa Buarque de (org.). **Pensamento feminista**: conceitos fundamentais. Rio de Janeiro: Bazar do Tempo, 2019.

FREIRE, Paulo. **Pedagogia do oprimido**. Rio de Janeiro: Paz e Terra, 1987.

GONÇALVES JR., Sara Wagner Pimenta. Dandara: mulher travesti, um ano ausente! In: Encontro da Rede Feminista Norte e Nordeste de Estudos e Pesquisa sobre Mulher e Relações de Gênero, 20., 2018, Salvador. **Anais** [...] Salvador: UFBA, 2018. p.1-6. Disponível em: <http://www.redor2018.sinteseeventos.com.br/arquivo/downloadpublic?q=YToyOntzOjY6InBhcmFtcyI7czozN-DoiYToxOntzOjEwOiJJRF9BUlFVSVZPIjtzOjM6IjE4MyI7fSI7c-zoxOiJoIjtzOjMyOiI5NTZmNGM0ZDNhRhODFkOThjMTM3-NWQ4NTc0NzJiOSI7fQ%3D%3D>. Acesso em: 3 nov. 2020.

GONZALEZ, Lélia. A categoria político-cultural da Amefricanidade. In: HOLLANDA, Heloísa Buarque de (org.). **Pensamento feminista brasileiro**: formação e contexto. Rio de Janeiro: Bazar do Tempo, 2019.

GONZALEZ, Lélia. Racismo e sexismo na cultura brasileira. **Revista Ciências Sociais Hoje,** Anpocs, p. 223-244, 1984. Disponível em: <https://edisciplinas.usp.br/pluginfile.php/5509709/mod_resource/content/0/06%20-%20GONZALES%2C%20L%C3%A9lia%20-%20Racismo_e_Sexismo_na_Cultura_Brasileira%20%281%29.pdf>. Acesso em: 7 mar. 2021.

HARAWAY, Donna. Manifesto ciborgue: ciência, tecnologia e feminismo-socialista no final do século XX. In: TADEU, Tomaz. **Antropologia do ciborgue:** vestígios do pós-humano. 2. ed. 1ª reimpressão. Belo Horizonte: Autêntica, 2013.

HARAWAY, Donna. Saberes localizados: a questão da ciência para o feminismo e o privilégio da perspectiva parcial. **Cadernos Pagu**, Campinas, n. 5, p. 7-41, 1995.

HARDING, Sandra. A instabilidade das categorias analíticas na teoria feminista. In: HOLLANDA, Heloísa Buarque de. **Pensamento feminista:** conceitos fundamentais. Rio de Janeiro: Bazar do Tempo, 2019. p. 95-118.

HOOKS, bell. **O feminismo é para todo mundo:** políticas arrebatadoras. Tradução de Ana Luiza Libânio. 1. ed. Rio de Janeiro: Rosa dos Tempos, 2018.

JESUS, Jaqueline Gomes de; ALVES, Hailey. Feminismo transgênero e movimentos de mulheres transexuais. **Revista Cronos**, v. 11, n. 2, 28 nov. 2012.

JESUS, Jaqueline Gomes de. A intelectual-ativista e o ativismo intelectual. In: HOLLANDA, Heloísa Buarque de (org.). **Explosão feminista**. Entrevistada: Helena Vieira. São Paulo: Companhia das Letras, 2018.

JESUS, Jaqueline Gomes de. Feminismo e identidade de gênero: elementos para a construção da teoria transfeminista. In: Seminário Internacional Fazendo Gênero 10, 2013, Florianópolis. **Anais** [...] Florianópolis: Universidade Federal de Santa Catarina, 2013.

JESUS, Jaqueline Gomes de. Xica Manicongo: a transgeneridade toma a palavra. **Revista Docência e Cibercultura.** Rio de Janeiro, v. 3, n. 1, jan-abr. 2019.

JONES, Zinnia. "Disforia de gênero de início rápido" (DGIR): uma fraude pseudocientífica que mira os jovens transgêneros e suas famílias. Tradução de Beatriz P. Bagagli. **Medium**, 7 abr. 2019. Disponível em: <https://medium.com/@biapagliarinibagagli/disforia-de-g%C3%AAnero-de-in%C3%ADcio-r%-C3%A1pido-dgir-uma-fraude-pseudocient%C3%ADfica-que-mira-os-jovens-743e4df65641>. Acesso em: 9 nov. 2020.

JOVANNA Baby: uma trajetória do Movimento de Travestis e Trans no Brasil. Direção: Cláudio Nascimento e Marcio Caetano. Produção: Grupo Arco-Íris e Centro de Memória LGBTI João Antônio Mascarenhas. Edição e fotografia: Fabio Rodrigues. [S. l.: s. n.], 2020.

KAAS, Hailey. Introdução ao Transfeminismo. **Blog Transfeminismo**, 1 out. 2012. Disponível em: <https://transfeminismo.com/introducao-ao-transfeminismo/>. Acesso em: 10 nov. 2020.

KAAS, Hailey. Similaridades e divergências entre as correntes Feminista Tradicional/Mainstream e o Transfeminismo. In: BENTO, Berenice; SILVA, Antônio Vladimir Félix. **Desfazendo gênero:** subjetividade, cidadania, transfeminismo. Natal: EDUFRN, 2015.

KILOMBA, Grada. **Memórias da plantação**: episódios de racismo cotidiano. Tradução de Jess Oliveira. 1. ed. Rio de Janeiro: Cobogó, 2019.

KOYAMA, Emi. The transfeminist manifesto. In: DICKER, Rory; PIEPMEIER, Alison (orgs.). **Catching a wave**: reclaiming feminism for the 21st century. Líbano: Northeastern University Press, 2003. p. 244-259.

KRÜGER, Alícia. **Aviões do cerrado:** uso de hormônios por travestis e mulheres transexuais do Distrito Federal brasileiro. 2018. 114 f., il. Dissertação (Mestrado em Saúde Coletiva) — Universidade de Brasília, Brasília, 2018.

LARROSA, Jorge; SKLIAR, Carlos. Babilônios somos: a modo de apresentação. In: LARROSA, Jorge; SKLIAR, Carlos (orgs.). **Habitantes de Babel**: políticas e poéticas da diferença. Tradução de Semíramis Gorine da Veiga. 2. ed. Belo Horizonte: Autêntica, 2011.

LAURETIS, Teresa de. A tecnologia de gênero. In: HOLLANDA, Heloísa Buarque de. **Pensamento feminista**: conceitos fundamentais. Rio de Janeiro: Bazar do Tempo, 2019.

LIONÇO, Tatiana. A psicologia entre a patologização e a despatologização das identidades trans. In: SOUSA, Ematuir T. de; AMARAL, Marília dos Santos; SANTOS, Daniel K. dos. (orgs). **Psicologia, travestilidades e transexualidades**: compromissos ético-políticos da despatologização. Florianópolis: Tribo da Ilha, 2019.

LORDE, Audre. Idade, raça, classe e gênero: mulheres redefinindo a diferença. In: HOLLANDA, Heloísa Buarque de (org.). **Pensamento feminista**: conceitos fundamentais. Rio de Janeiro: Bazar do Tempo, 2019.

LORDE, Audre. Mulheres negras: as ferramentas do mestre nunca irão desmantelar a casa do mestre. **Geledés**, 10 jul. 2013.

Disponível em: <https://www.geledes.org.br/mulheres-negras-as-ferramentas-do-mestre-nunca-irao-desmantelar-a-casa-do-mestre/>. Acesso em: 9 nov. 2020.

LOURO, Guacira Lopes. **Gênero, sexualidade e educação:** uma perspectiva pós-estruturalista. Petrópolis: Vozes, 2007.

LOURO, Guacira Lopes. **Um corpo estranho:** ensaios sobre a sexualidade e teoria *queer*. Belo Horizonte: Autêntica, 2004.

LUGONES, María. Rumo a um feminismo decolonial. **Estudos Feministas**, Florianópolis, v. 22, n. 3, p. 935-952, 2014.

MACHADO, I. V.; ELIAS, M. L. G. G. R. **Feminicídio em cena:** da dimensão simbólica à política. São Paulo: Tempo Social, revista de Sociologia da USP, v. 30, n. 1, p. 283-304.

MBEMBE, Achille. **Necropolítica**. São Paulo: N-1 Edições, 2018.

MC CAROL; KAROL CONKÁ. 100% Feminista. Intérpretes e compositores: MC Carol; Karol Conká. In: MC Carol. **Bandida**. Rio de Janeiro: Heavy Baile Records, 2016. 1 CD, faixa 5.

MONEY, John. Hermaphroditism, gender and precocity in hyperadrenocorticism: psychologic findings. **Bulletin of the Johns Hopkins Hospital**, n. 96, p. 253-264, 1955.

NERY, João Walter. "Vocês só podem ser normais porque nós somos considerados doentes!" – a patologização dos corpos trans como meio de produzir a "normalidade" cis. In: SOUSA, Ematuir T. de; AMARAL, Marília dos Santos; SANTOS, Daniel K. dos. (orgs). **Psicologia, travestilidades e transexualidades:** compromissos ético-políticos da despatologização. Florianópolis: Tribo da Ilha, 2019.

NICHOLSON, Linda. Interpretando o gênero. **Estudos Feministas**. Florianópolis, v. 8, n. 2, p. 9-41, 2000.

OLIVEIRA, Carolina Iara de. A busca pelo corpo perfeito: uma rápida autoetnografia e análise interseccional da intersexualidade. In: GOMES, Aguinaldo Rodrigues; LION, Antonio Ricardo Calori de (orgs.). **Corpos em trânsito:** existências, subjetividades e representatividades. Salvador: Editora Devires, 2020.

OLIVEIRA, Esmael Alves de; MARTINS, Cátia Paranhos; NASCIMENTO, Letícia Carolina Pereira do. "Laerte-se" e "Tomboy": convites às experimentações de si. **Ambivalências**, v. 7, n. 13, p. 109-126, 2019.

OLIVEIRA, Megg Rayara Gomes de. Eu (r)existi, eu (r)existo e vou continuar (r)existindo: travestis, mulheres transexuais e movimento social! In: CAETANO, Márcio [et al] (orgs.). **Quando ousamos existir:** itinerários fotobiográficos do movimento LGBTI Brasileiro (1978-2018). Tubarão: Copiart; Rio Grande, RS: FURG, 2018.

OLIVEIRA, Megg Rayara Gomes de. **O diabo em forma de gente:** (R)existências de gays afeminados, viados e bichas pretas na educação. Curitiba: Prismas, 2017.

OLIVEIRA, Megg Rayara Gomes de. Xicamanicongo, racismo, transfobia e o direito de matar. In: BENEVIDES, Bruna G.; NOGUEIRA, Sayonara Naider Bonfim (orgs). **Dossiê dos assassinatos e da violência contra travestis e transexuais brasileiras em 2019**. São Paulo: Expressão Popular, Antra, IBTE, 2020. p. 75-77.

PAIVA, André L. dos S., FÉLIX-SILVA, Antônio Vladimir. Travestilidades e devir mulher de pau: discussões a partir do conto Dama da Noite de Caio F. **Bagoas**, Natal, n. 13, p. 401-413, 2015.

PISCITELLI, Adriana. Recriando a (categoria) mulher? In: ALGRANTI, Leila Mezan; PISCITELLI, Adriana; GOLDANI, Ana Maria. **A prática feminista e o conceito de gênero**. Campinas: IFCH/Unicamp, 2002. p. 7-42.

PRECIADO, Paul B. **Manifesto contrassexual**: práticas subversivas de identidade sexual. Tradução de Maria Paula Gurgel Ribeiro. 2. ed. Rio de Janeiro: N-1 Edições, 2017.

PRECIADO, Paul B. Multidões *queer*: notas para uma política dos "anormais". In: HOLLANDA, Heloísa Buarque de. **Pensamento feminista:** conceitos fundamentais. Rio de Janeiro: Bazar do Tempo, 2019.

PRECIADO, Paul B. **Testo Junkie:** sexo, drogas e biopolítica na era farmacopornográfica. Tradução de Maria Paula Gurgel Ribeiro. Rio de Janeiro: N-1 Edições, 2018.

RIBEIRO, Djamila. **Lugar de fala.** São Paulo: Pólen, 2019.

RIBEIRO, Djamila. **Quem tem medo do feminismo negro?** 1. ed. São Paulo: Companhia das Letras, 2018.

RODOVALHO, Amara Moira. O cis pelo trans. **Estudos Feministas**, Florianópolis, v. 25, n. 1, p. 365-373, jan-abr. 2017.

RUBIN, Gayle. **O tráfico de mulheres**: notas sobre a "economia política" do sexo. Tradução de Christine Rufino Dabat. Recife: SOS Corpo, 1993.

SAFFIOTI, Heleieth I. B. Primórdios do conceito de gênero. **Cadernos Pagu**, Campinas, v. 12, p. 157-163, 1999.

SCOTT, Joan. Gênero: uma categoria útil de análise histórica. **Educação & Realidade**, Porto Alegre, v. 2, n. 20, p. 71-100, jul-dez. 1995.

SILVA, Yuna Vitória Santana da. A cisgeneridade e o complexo do "apesar de". **Medium**, 25 nov. 2019. Disponível em: <https://medium.com/@yunavitria/a-cisgeneridade-e-o-complexo-do--apesar-de-be41a1c72e51>. Acesso em: 10 nov. 2020.

SILVA, Jovanna Cardoso da. Movimento político social da população T no Brasil. In: CAETANO, Márcio [et al] (orgs.). **Quando ousamos existir**: itinerários fotobiográficos do movimento LGBTI Brasileiro (1978-2018). Tubarão: Copiart; Rio Grande, RS: FURG, 2018.

SILVA, Mariah Rafaela. Devir selvagem: a arte do grito (ou do grito na Arte). **Revista Docência e Cibercultura**, v. 3, n. 1, p. 51-72, jan-abr. 2019.

SIMAKAWA, Viviane Vergueiro. **Por inflexões decoloniais de corpos e identidades de gênero inconformes**: uma análise autoetnográfica da cisgeneridade como normatividade. Dissertação (Mestrado Multidisciplinar em Cultura e Sociedade) — Instituto de Humanidades, Artes e Ciências Professor Milton Santos. Salvador: Universidade Federal da Bahia, 2015, 244 f.

SPIVAK, Gayatri. **Pode o subalterno falar?** Belo Horizonte: Editora UFMG, 2010.

SPIVAK, Gayatri. Quem reivindica alteridade? In: HOLLANDA, Heloísa Buarque de. **Pensamento feminista**: conceitos fundamentais. Rio de Janeiro: Bazar do Tempo, 2019.

VERAS, Elias Ferreira. **Travestis**: carne, tinta e papel. 1. ed. Curitiba: Editora Prismas, 2017.

VERGUEIRO, Viviane. Pela descolonização das identidades trans*. In: VI Congresso Internacional de Estudos Sobre a Diversidade Sexual e de Gênero da ABEH, 2012, Salvador. **Anais [...]** VI Congresso Internacional, 2012.

VIEIRA, Amiel Modesto. Reflexões sobre corpos dissidentes sob o olhar feminista decolonial-*queer*. In: BARRETO, Fernanda Carvalho Leão (org.) **Intersexo**: aspectos jurídicos, internacionais, trabalhistas, registrais, médicos, psicológicos, sociais, culturais. São Paulo: Thompson Reuters Brasil, 2018. p. 481-492.

VIEIRA, Helena. Afinal, o que é a Teoria Queer? O que fala Judith Butler? Diálogos do Sul, São Paulo, 2015. Disponível em: <https://dialogosdosul.operamundi.uol.com.br/cultura/51728/afinal-o-que-e-a-teoria-queer-o-que-fala-judith-butler>. Acesso em: 14 mar. 2021.

VIEIRA, Helena. O transfeminismo como resultado histórico das trajetórias feministas. In: HOLLANDA, Heloísa Buarque de (org.). **Explosão feminista**. São Paulo: Companhia das Letras, 2018.

WITTIG, Monique. Não se nasce mulher. In: HOLLANDA, Heloísa Buarque de (org.). **Pensamento feminista**: conceitos fundamentais. Rio de Janeiro: Bazar do Tempo, 2019.

Este livro foi composto pelas fontes Calisto MT e
Bebas Neue e impresso em julho de 2021 pela Edições Loyola.
O papel de miolo é o Pólen Soft $80g/m^2$
e o de capa é o Cartão Supremo $250g/m^2$.